Só Tenho Olhos para Você

Bella Andre

Já é hora de se deixar levar pelo desejo...

Só Tenho Olhos para Você

Tradução
Ana Paula Doherty

Publicado sob acordo com a autora, c/ o BAROR INTERNATIONAL, INC.,
Armonk, New York, USA
Copyright © 2012 Bella Andre
Copyright © 2013 Editora Novo Conceito
Todos os direitos reservados incluindo o direito de reprodução total ou parcial.

Esta é uma obra de ficção. Nomes, personagens, lugares e acontecimentos descritos são produtos da imaginação da autora. Qualquer semelhança com nomes, datas e acontecimentos reais é mera coincidência.

1ª Impressão — 2013

Edição: Edgar Costa Silva
Produção Editorial: Alline Salles, Lívia Fernandes, Tamires Cianci
Preparação de Texto: Lizete Mercadante Machado
Revisão de Texto: Camila Fernandes, Erika Sá
Diagramação: Ana Dobón
Impressão e Acabamento RR Donnelley 090413

Este livro segue as regras da Nova Ortografia da Língua Portuguesa.

Dados Internacionais de Catalogação na Publicação (CIP)
(Câmara Brasileira do Livro, SP, Brasil)

Andre, Bella
  Só tenho olhos para você / Bella Andre; tradução Ana Paula Doherty.
– Ribeirão Preto, SP : Novo Conceito Editora, 2013.

  Título original: I only have eyes for you
  ISBN 978-85-8163-226-1

  1. Ficção norte-americana I. Título.

12-14194   CDD-813

Índices para catálogo sistemático:
1. Ficção : Literatura norte-americana 813

Rua Dr. Hugo Fortes, 1.885 — Parque Industrial Lagoinha
14095-260 — Ribeirão Preto — SP
www.editoranovoconceito.com.br

CAPÍTULO UM

Sophie Sullivan checava os preparativos finais para o casamento, cheia de satisfação. Em menos de duas horas, seu irmão Chase e a noiva dele, Chloe, diriam "sim" sob os arcos cobertos de rosas, na presença de 300 convidados. A vinícola de Napa Valley, propriedade de Marcus, o irmão mais velho de Sophie, não era só o lugar perfeito para o casamento, mas também onde Chase e Chloe haviam se conhecido e se apaixonado.

A noiva e as madrinhas já se encontravam na casa de hóspedes, fazendo a maquiagem e o cabelo. Sophie já deveria ter ido para lá pelo menos uma hora atrás, mas primeiro queria ter certeza de que tudo estava perfeito. Ela era uma bibliotecária, não uma organizadora de casamentos, mas não deixaria passar a oportunidade de ajudar a planejar o casamento de Chase; e fora tudo tão divertido. Bem, exceto por aqueles encontros com...

— Ei, Boazinha, está tudo ótimo.

Cada músculo no corpo de Sophie enrijeceu ao ouvir a fala arrastada atrás dela.

Jake McCann.

O melhor amigo de seu irmão Zach... e o objeto de 20 anos de amor não correspondido. Obviamente, nesses 20 anos, ela nada fora além da irmãzinha de Zach.

— Meu nome é Sophie, não Boazinha — ela retrucou, sem virar o rosto para ele.

Sentiu-o chegar mais perto, o calor dele queimando-a mesmo a muitos metros de distância. Sempre fora muito ligada a ele e sempre ficava instantaneamente alerta à sua presença em qualquer ambiente. Quando pequena, inventava desculpas para juntar-se aos irmãos mais velhos só para estar perto de Jake, mantendo-se absolutamente quieta para que ninguém se lembrasse de que se encontrava lá enquanto eles jogavam cartas no porão e faziam piadas de mau gosto.

A necessidade de virar-se e absorvê-lo, de se perder no brilho malicioso daqueles olhos cor de chocolate era tão forte que ela quase não resistiu. Em vez disso, manteve os olhos focados na arrumação do casamento e nas extensas colinas cobertas de vinhas e flores de mostarda, como se não fizesse diferença se Jake ficasse para conversar com ela.

— Difícil acreditar que o dia finalmente chegou. — Ele fez uma pausa, e, quando continuou, ela notou o humor um tanto desdenhoso na voz dele: — Um Sullivan vai mesmo se enforcar.

Sophie era conhecida na família como a pessoa sensata e de fala mansa, aquela que sempre refletia sobre as coisas antes de agir. Nunca fora afeita a surtos violentos... ou a dar espaço às suas vontades mais íntimas. Esse era o território de sua irmã gêmea, e era por isso que o apelido de Lori era Mazinha e o de Sophie, Boazinha. Entretanto, toda a sua tranquilidade sumia e ela raramente sentia-se com os pés no chão quando Jake estava por perto. Como podia, quando seu coração sempre disparava ao pensar como seria estar nos braços dele... ou quando ele a deixava furiosa fazendo um comentário machista? Geralmente as duas coisas aconteciam ao mesmo tempo, exatamente como ele estava fazendo agora.

Perdendo a batalha com o autocontrole, ela fechou os punhos e virou-se para encará-lo. Para o azar de seus hormônios traidores, Jake estava mais lindo do que nunca naquele smoking. A camisa branca impecável abria-se o suficiente no colarinho para mostrar os pelos escuros encaracolados no V do peito dele. As tatuagens estavam cobertas, mas, só de saber que estavam escondidas atrás de uma fina camada de tecido, Sophie já sentia uma onda de desejo proibido percorrê-la.

— O Chase e a Chloe estão apaixonados — ela disse com uma voz ainda mais incisiva, decepcionada consigo mesma por não conseguir ser indiferente à bela aparência de Jake. — O casamento deles vai ser maravilhoso, perfeito e incrivelmente romântico.

O fato de Chloe estar grávida e absolutamente resplandecente tornava tudo ainda muito mais lindo, perfeito e romântico. Sophie mal podia esperar para cuidar e encher de mimos sua sobrinha ou sobrinho.

— Pelo menos vai ser uma festa de arromba!

O que havia de errado com ele?, Sophie se perguntou pela milésima vez em 20 anos. Como podia olhar para uma vida inteira de amor e só enxergar uma festa?

Mas, de novo, considerando que ele passava pelas mulheres com uma velocidade chocante, não era difícil imaginar que fosse um daqueles imbecis que não acreditavam no amor. Um cara rico e bonito como Jake McCann só estava a fim de sexo.

Sophie não era nem virgem nem puritana, apesar de as pessoas pensarem isso sobre as bibliotecárias. Muito pelo contrário; se soubessem quanto ela era bem informada sobre sexo, ficariam chocados.

Especialmente Jake. Não seria bom demais chocar alguém que se julgava absolutamente indiferente?

Ela sabia, contudo, que era melhor não fantasiar com Jake, mesmo com seu corpo tomado de desejo desde os primeiros hormônios da adolescência. Mesmo agora, não conseguia fazer nada além de sentir o perfume dele, uma leve pitada de amora com algo que ela nunca fora capaz de denominar além de *noite* e *escuridão*.

Sophie fez um movimento para arrumar uma cadeira já perfeitamente alinhada.

— Dei uma olhada na arrumação do bar um tempo atrás e parece que tudo está no lugar — ela admitiu relutante. — Você fez um bom trabalho.

Sophie podia sentir os olhos escuros dele sobre ela quando Jake perguntou:

— Tem certeza de que não posso contratar você para gerenciar meus pubs? Precisamos de alguém para colocar as coisas em ordem.

Diante do elogio, uma onda de prazer a percorreu, aquecendo-a por inteiro. Esse era o problema com Jake. Mesmo quando estava irritada com ele, mesmo que não correspondesse aos seus sentimentos em um bilhão, um trilhão de anos, ela não conseguia fazer nada além de ficar encantada por ele.

Mesmo assim, sabendo que nunca se perdoaria por transformar-se em uma poça de desejo no meio da vinícola de Marcus, simplesmente respondeu:

— Eu sentia muita falta dos meus livros, obrigada.

A vida toda, Sophie mantivera pilhas de livros em todos os cômodos; ao lado da cama, na cozinha. Adorava o jeito como seu *e-reader* se acomodava em sua bolsa.

Ciente de que prolongar a proximidade deles naquele lugar absolutamente romântico só traria problemas, ela prosseguiu:

— É melhor eu ir até a casa de hóspedes.

Mas, no momento em que estava se virando para sair, uma lufada de vento arrancou-lhe o chapéu da cabeça. Jake esticou o braço e alcançou-o antes mesmo de ela poder reagir.

— Peguei.

Parou na frente dela e tirou uma mecha de cabelo que ficara enroscado em seus lábios, enquanto colocava o chapéu de volta no lugar. O rosto dela arrepiou-se diante do toque gentil de pele com pele e Sophie lambeu os lábios, nervosa.

As mãos dele pararam na aba do chapéu, os olhos escuros se tornando quase negros enquanto fitava os lábios dela. Durante alguns segundos, nenhum dos dois se mexeu, mas então, de repente, Jake se afastou e o ar levemente frio do vinhedo pareceu preencher o calor do lugar onde ele estivera.

Com a expressão profunda e cheia de pesar, ele desviou o olhar dos lábios dela e avaliou-lhe a roupa.

— Você não vai usar isso no casamento, vai?

Ainda se recuperando do choque do toque dele, Sophie levou muito mais tempo do que deveria para registrar o que ele dissera. De qualquer forma, não pôde deixar de notar o tom de zombaria.

Meses atrás, quando Jake tinha se oferecido para cuidar do bar no casamento de Chase e Chloe, ela resolvera, num impulso, ensinar-lhe uma lição sobre arrogância. Também pretendia mudar a maneira como ele insistia em continuar a olhar para ela, como uma criancinha, em vez de uma mulher adulta. O plano era fazê-lo desejá-la, descobrir, de alguma forma, como deixá-lo desesperado de paixão... para depois desprezá-lo, deixando-o a ver navios pela primeira vez na vida.

Agora, quatro meses depois, entretanto, ela se questionava se tinha se saído bem com esses planos para atrair e então rejeitar Jake.

Rá!

— Claro que não é isso que vou usar no casamento — ela finalmente respondeu, entre os dentes. — Sou uma das madrinhas da Chloe, com a Lori.

O contorno perfeito do rosto dele mudou de novo, de sisudo para mal-humorado, antes de ficar indiferente.

— Então é melhor você ir ficar bonita, não é, princesa?

As palavras duras de Jake caíram como um peso entre eles. Ela não sabia se fora intenção dele magoá-la com aquelas palavras, sugerindo que levaria um tempo, e uma boa dose de esforço, para ela ficar bonita... mas, se essa tinha sido ou não a intenção dele, aquela frase a atingiu do mesmo jeito.

Poucos minutos antes, estava orgulhosa pelo que tinha conseguido fazer para a festa de casamento de Chase e Chloe. Agora, toda a animação murchara diante da maneira como Jake olhara para ela, achando-a tão carente, tão desprovida de encanto feminino. Mesmo sabendo que não deveria se importar, mesmo sabendo que era melhor não dar a ele o poder de magoá-la, algumas palavras descuidadas podiam lhe causar mais dano do que todos os puxões de cabelo de sua irmã gêmea.

Será que havia imaginado aquela fome, aquele desejo nos olhos dele? Ou simplesmente queria tanto sentir aquelas faíscas que tinha inventado uma conexão de segundos que, na verdade, nunca existira?

Ah, como odiava a maneira como ele acabara de falar com ela, como se ainda fosse uma garotinha em vez de uma mulher totalmente madura, adulta e bem-sucedida. *Princesa;* ele a chamara de *princesa*!

De algum modo, aquilo era pior do que *Boazinha*. Pelo menos, o apelido da família dela tinha vindo do amor.

De um só golpe, toda a firmeza à qual tentava se segurar no que se referia a Jake desmoronou dentro dela, sobrando um nó no peito. Ela daria qualquer coisa para chocá-lo, para mostrar a Jake que ele não sabia porcaria nenhuma sobre quem ela realmente era, que a garota "boazinha" que ele vira crescer era mulher mais do que suficiente para deixá-lo maluco.

Tendo crescido em uma família de irmãos extraordinários, Sophie sabia que era melhor não tentar competir com eles. Ela nunca havia deslizado em uma pista de dança como Lori ou liderado um time até o campeonato nacional, como Ryan. Não salvava pessoas diariamente como Gabe. E nunca fora apaixonada o bastante por fotografia, carros ou vinhedos para transformá-los em carreiras e negócios de sucesso.

Mas, ali, em pé ao lado de Jake, no meio da vinícola de Marcus, a menos de uma hora do casamento de Chase e Chloe, Sophie não poderia estar mais feliz por ter lido milhares de romances. O suficiente, esperava, para armar rapidamente uma trama que daria a Jake o gosto do seu próprio veneno... e, finalmente, fazê-la vencer o jogo.

— Você está certo — ela disse suavemente —, preciso ir logo ficar bonita. — As palavras tinham gosto de fel na língua dela e podia jurar que ele quase tinha recuado ao ouvi-las. — Mas tem uma coisa que gostaria de perguntar.

— O que é? — ele perguntou com uma voz relaxada. Relaxada demais, ela pensou.

— Bom — ela continuou devagar —, acabei de descobrir que um ex-namorado meu é um dos convidados de última hora da Chloe.

Era verdade, ela tinha namorado o cara — Alex — durante alguns meses no ano anterior. No entanto, nenhum dos dois levara a relação muito a sério. Ela nem chegara a dormir com ele.

Mesmo assim, isso não a impediu de distorcer um pouquinho a verdade, só para provocar Jake.

— É alguém em quem eu gostaria de provocar ciúme. — Ela baixou os cílios como se ainda não tivesse superado a dor de ter sido deixada tão bruscamente.

Apesar de só ter participado do coral de algumas produções teatrais da escola primária, Sophie tentou imaginar a maneira como Smith teria interpretado essa cena na tela. Com paixão. E uma pitada de vergonha por nunca ter sido boa o bastante para seu ex, independentemente do que fizesse. Esperou um pouco antes de erguer o olhar para Jake de novo.

— Você me ajudaria?

Ele olhou para ela, sem conseguir acreditar no que Sophie estava lhe propondo.

— Espere aí, Boazinha. Quer que *eu* ajude *você* a deixar um porcaria de um ex-namorado com ciúmes?

Ela rangeu os dentes quando ele a chamou pelo apelido, e pelo fato de imediatamente presumir que qualquer dos namorados dela era uma porcaria, mas forçou-se a deixar aquilo passar. Por ora.

— Você não trouxe ninguém para o casamento, né? — Poucas semanas atrás, Jake tinha lhe dito que viria sozinho para poder tomar conta da sua equipe no bar. Sophie imaginou que essa também era uma boa estratégia para ele poder escolher melhor alguma convidada solteira para levar para a cama depois da festa. Ela forçou-se a controlar o ciúme diante dessa ideia enquanto insistia:

— Por favor, Jake, pode me ajudar?

Mas ele já estava balançando a cabeça.

— Ninguém vai acreditar. E seus irmãos vão me matar se acharem que estou de olho em você.

Malditas sejam a má reputação dele e a reputação imaculada dela! E malditos sejam aqueles irmãos tão protetores!

Jake estava certo: eles o fariam em pedacinhos só de imaginar que alimentava pensamentos impuros sobre ela ou Lori. Mas Sophie se recusava a desistir agora, depois das palavras desdenhosas dele. Aquela frase, *É melhor você ir ficar bonita, não é, princesa?*, ainda lhe martelava na cabeça.

— Você está brincando? — ela disse com uma risada. — Claro que nenhum deles acreditaria. Você? — Ela riu ainda mais alto. — E eu? — Sacudiu a cabeça como se a ideia toda fosse ridícula... mesmo tendo escrito a história de amor deles mil vezes em seus sonhos. — Nós todos já conhecemos o tipo de garota de que você gosta. Ficaria surpresa se metade delas conseguisse soletrar o próprio nome.

Quando ele fez cara feia, Sophie percebeu, tarde demais, que tinha ido muito longe.

Opa.

— Não se preocupe — ela garantiu —, não vamos deixar ninguém da minha família ou dos nossos amigos nos ver. Só meu ex.

— Esse cara tem nome?

Pelo olhar de Jake, de quem iria partir o ex dela ao meio com as próprias mãos, Sophie achou melhor não dizer o nome de Alex. Pensando rápido, ela respondeu:

— Não gosto de dizer em voz alta.

— Ele magoou você?

Ela ficou feliz por não ter comido muito no café da manhã, do contrário correria o risco de vomitar quando colocou a mão sobre o coração e disse de um jeito muito dramático:

— Só aqui.

Sophie tinha certeza de que qualquer outra pessoa não teria acreditado em seu péssimo desempenho teatral, mas Jake estava tão envolvido e determinado a não notar absolutamente nada sobre ela que Sophie achou que pudesse se safar dessa.

Sabendo que era a hora de "pegar ou largar", jogou a cartada final:

— Por favor, Jake. Você é a única pessoa a quem posso pedir para me ajudar com essa pequena vingança contra um grande idiota. — Inclinou-se mais perto da orelha dele e murmurou: — Vai ser nosso segredinho.

Meu Deus, ele tinha um cheiro tão bom, tão bom que a fazia querer roçar os lábios sobre os pelos eriçados da sua barba. Em vez disso, forçou-se a se afastar dele.

Finalmente, Jake concordou:

— Tudo bem. Se está tão desesperada assim, eu ajudo. Apesar de ainda achar que esse seu plano não tem muita chance de funcionar.

— Ah — ela disse suavemente, a palavra *desesperada* remoendo juntamente com *princesa* e *boazinha* —, com certeza vai funcionar. Garanto a você.

Pelo amor de Deus, o que tinha acontecido?

Jake McCann sabia como tinha que se sentir em relação a Sophie. Tinha que gostar dela do jeito que um cara gostava da própria irmã, protegendo-a, garantindo que estaria segura e feliz. Tinha que ser cego para o jeito como Sophie tinha crescido ao longo dos anos. Não deveria admirar aquelas curvas embaixo das roupas enquanto ela ficava no meio da vinícola inspecionando os preparativos para o casamento. E quando colocara o chapéu de volta na cabeça de Sophie, e os olhos dela pareceram tão sonhadores, com certeza não deveria ter sentido aquela vontade louca de puxá-la e beijar aqueles lábios macios.

No entanto, não conseguia tirar os olhos dela enquanto a via se afastar, não conseguia parar de pensar na maciez daquele rosto e na maneira como seus cabelos sedosos deslizaram entre os dedos dele.

Que merda!

Quanto tempo passara tentando negar o que sentia por Sophie? Quantos anos passara dizendo a si mesmo que aquilo se limitava a algo de que poderia se livrar facilmente com outras mulheres? Mulheres que eram boas durante algumas horas de transa, mas que não chegavam nem aos pés da elegância, da inteligência e da delicadeza de Sophie.

Como conseguiria permanecer com Sophie durante a cerimônia de casamento quando o autocontrole lhe escapava pouco a pouco, cada vez que a via nos últimos meses? Sentar ao lado dela enquanto repassava os planos do casamento, respirar aquele hálito doce e imaginar se ela teria aquele mesmo sabor na língua dele estava, lentamente, deixando-o maluco. Cada dia mais ela tomava conta de seus pensamentos e de seus sonhos.

Parado no meio da vinícola de Marcus, com Sophie perto o suficiente para puxá-la para seus braços, Jake tinha duas opções impossíveis: alcançá-la e finalmente possuí-la da maneira que fantasiara por muito tempo... ou afastá-la de vez, para o próprio bem dela.

O peito dele doía de arrependimento ao lembrar-se da expressão magoada de Sophie depois de ter feito aqueles comentários sobre suas roupas e sobre precisar ficar bonita para o casamento. Ela era a última pessoa no mundo a quem ele queria magoar, e era exatamente por isso que tentara manter a maior distância possível ao longo dos anos.

Jake odiava pensar que algum namorado tivesse lhe passado a perna e que, depois de tudo, tivesse a coragem de aparecer no casamento do irmão dela. Ela merecia estar com alguém que lhe desse tudo: uma casa com grades brancas no jardim e um bando de filhos lindos e tão inteligentes como a mãe deles.

Ele apertou o punho com força sobre o peito para afastar fisicamente o nó provocado por aquelas imagens de Sophie feliz da vida com outro homem. Jake não estava muito firme com relação ao plano dela de provocar ciúmes no ex, mas já tinha planos de pegar o cara sozinho e dar-lhe uma lição sobre o que acontecia quando alguém mexia com um Sullivan.

Nesse momento, Chase saiu para o terraço de Marcus e chamou Jake, tirando-o de seus pensamentos.

Os irmãos de Chase eram todos padrinhos, com Marcus conduzindo a cerimônia do casamento. Jake era o único fora da família Sullivan a ter a honra de ficar ao lado de Chase, mesmo com tantos primos a quem poderia ter escolhido.

O nono Sullivan. Eles sempre o fizeram sentir-se assim, como se fosse um deles. Em todos aqueles anos que passara na casa deles, Jake fingira estar em sua própria casa. E, na verdade, a casa de Mary Sullivan tinha sido o único lar verdadeiro que conhecera, até comprar sua própria casa com o lucro dos pubs irlandeses.

Jake estava feliz por Chase. Com certeza tinha ficado surpreso pela maneira como seu amigo se apaixonara tão rapidamente, mas, só porque Jake nunca se deixaria ser fisgado daquele jeito, isso não significava que não apoiaria um Sullivan.

Ser um dos padrinhos no casamento de Chase e oferecer as bebidas fazia parte da retribuição à família que ajudara a criá-lo quando sua própria família não estava nem aí.

— Como está se sentindo no grande dia?

Chase sorriu.

— Bem. — O sorriso se abriu ainda mais. — Muito bem.

Jake tinha visto Chase e Chloe juntos o suficiente para saber que esse era um cara absolutamente feliz. Ele não parecia ter nenhum arrependimento por abrir mão das modelos sensuais.

— Viu a Chloe? — Chase perguntou. — Acha que ela precisa de alguma coisa?

Assim que Chloe anunciara a gravidez, Chase tornara-se um exemplo de qualquer pai de primeira viagem. Era exatamente o tipo de comportamento maluco que Jake nunca entenderia. E a razão pela qual sempre tinha que garantir que nenhuma de suas parceiras ficasse grávida.

— Acabei de falar com Sophie — ele respondeu a Chase. — Parece que está tudo sob controle com as garotas.

— Bom. — Chase balançou a cabeça, então sorriu de novo. — Venha para dentro. O Smith está nos contando sobre uma orgia da qual participou umas semanas atrás. Acho que está se aquecendo para o discurso depois do casamento.

— Então, você realmente não vai sentir falta de tudo isso?

Chase não hesitou antes de balançar a cabeça.

— A Chloe vale mais do que mil orgias.

Jake pôde ouvir os Sullivan rindo e entrou. Ele amava aquela família como se fosse a sua; levaria um tiro por qualquer um deles. Especialmente por aquela morena maravilhosa que não conseguia tirar da cabeça.

Nem do coração.

CAPÍTULO DOIS

— Estávamos a ponto de mandar uma equipe de resgate atrás de você. — Kalen, a maquiadora com quem Chase geralmente trabalhava em suas sessões de fotos, agarrou Sophie assim que ela colocou os pés na casa de hóspedes. — Todo mundo já está colocando os vestidos. Ainda bem que você só precisa de um pouco de rímel e batom.

Normalmente, Sophie teria concordado em manter o rosto quase sem nada. Ela nunca se sentira muito à vontade com maquiagem. Lori era quem sempre gostara de brincar com as sombras e os pós de arroz da mãe; Sophie preferia achar os livros que ensinavam a irmã como aplicar a maquiagem, em vez de brincar de ser a manequim.

— Na verdade — ela disse —, gostaria que usasse um pouco da sua mágica comigo.

A moça levantou uma sobrancelha.

— Mágica?

Sophie balançou a cabeça.

— Tem esse cara...

Kalen abriu um sorriso lento para Sophie.

— Bom, nesse caso, vou ficar muito feliz em usar um pouco da minha mágica em você. Ele não vai ter nem ideia de onde veio o tiro. — Chamou a amiga cabeleireira que trouxera com ela. — Jackie, pode vir aqui um momento?

Alguns minutos de conversa secreta depois, na qual Sophie deixou claro que não queria parecer nem muito arrumada nem vulgar, somente muito mais sexy do que normalmente era, as três mulheres montaram um plano.

Sophie sentou-se na cadeira e tentou ignorar o coração disparado enquanto Kalen e Jackie transformavam a *Boazinha* em alguém absolutamente diferente.

Trinta minutos mais tarde, depois de Kalen e Jackie ajudarem Sophie a colocar o vestido de madrinha sem estragar o cabelo nem a maquiagem, Lori entrou na sala e olhou chocada para Sophie.

— Caramba, o que fizeram com a minha irmã?

As duas não vinham se dando muito bem no último ano. Sophie odiava o jeito como Lori deixava aquele idiota que namorava em segredo passar por cima dela. Todo mundo via sua gêmea como atirada e destemida, mas Sophie sabia que Lori simplesmente conseguia esconder as emoções melhor do que o restante deles.

Cada vez que Sophie tentava abordar a situação, a irmã a bloqueava cada vez mais de sua vida. Lori era mestra em tiradas sarcásticas e secas, como Sophie sabia muito bem, e tinha sido atingida vezes demais nos últimos meses. No entanto, apesar de tudo o que acontecera entre elas durante o último ano, ela amava a irmã. Como não poderia, quando sempre foram as metades de um todo?

E esse dia era um daqueles em que Sophie precisava de sua gêmea, da outra metade que entenderia tudo automaticamente, no nível do DNA, para dar-lhe segurança.

No afã do momento, quando tomara a decisão de sacudir um pouco as coisas, o fato de Kalen e Jackie a produzirem parecera dar-lhe poder; mas, para alguém como ela, que sempre ficava feliz em desaparecer na multidão, esse cabelo e essa maquiagem eram uma distância muito grande do seu verdadeiro eu.

E se as pessoas rissem dela?

E se Jake risse dela?

Ela morreria. Ah, sim, bem ali no meio daquele dia especial de Chloe e Chase, na frente de 300 pessoas, cairia seca e morta no chão.

Lori chegou mais perto e fez uma volta completa ao redor da irmã, observando-lhe o vestido de cetim tomara-que-caia cor-de-rosa. Sophie fora a última a encontrar Chloe na loja de noivas para escolher o vestido de madrinha. Ainda que fosse definitivamente mais conservador do que o de Lori, Sophie esquecera-se de quanto o cetim caía bem em suas curvas, mais justo do que qualquer outra coisa que tinha, com certeza. Era um estilo clássico de estrela de cinema, *a la* Marilyn Monroe no vestido de "Feliz Aniversário, Sr. Presidente", com uma fenda profunda subindo por uma das pernas.

Por fim, Lori disse:

— Você está maravilhosa, Soph.

Sophie respirou profundamente, aliviada.

— Graças a Deus.

— Se bem que — Lori continuou com a testa levemente franzida — não está parecendo muito você. — A expressão ficou mais acentuada. — A Kalen convenceu você a usar algo novo?

— A maquiagem foi ideia minha. E o cabelo também.

Lori franziu o cenho novamente.

— Não consigo entender. Você nunca quis experimentar nada novo antes.

Sophie forçou um balanço dos ombros, como se não se importasse se a irmã a compreendia ou não. Mesmo que se importasse, e muito.

— Só queria ver como seria parecer um pouco diferente por um dia.

— Humm. — Lori analisou-a novamente, da cabeça aos pés, e Sophie soube que sua irmã descobrira a verdade naquele exato momento. — Ah, não. Não me diga que vai tentar conquistar o J...

Sophie pulou em direção à irmã para cobrir os lábios de Lori com a mão antes que o nome de Jake pudesse sair. Gostaria de dizer a Lori que sua transformação não tinha nada a ver com ele, mas não podia mentir para sua irmã gêmea.

— Sei o que estou fazendo.

Lori balançou a cabeça, arrancando a mão de Sophie de cima de sua boca.

— Você não faz a mínima ideia do que está fazendo. Eu adoro J...

— Lori!

— ... como um irmão, mas isso não quer dizer que não veja os pecados dele, Soph. Principalmente quando o assunto é mulher. — Lori olhou-a com firmeza. — Não faça isso.

Ela nunca pensara em admitir isso a ninguém, nem mesmo à sua irmã, mas agora pegou-se dizendo:

— Você não sabe o que é ser invisível. — Instintivamente, ergueu o queixo e empinou os ombros. — Estou cansada disso. — Queria que sua irmã gêmea entendesse, mas, em vez disso, Lori disse:

— Você adora me dizer quando estou fazendo besteira. — Sophie tentou protestar, mas a irmã colocou as mãos nos ombros dela e a fez virar-se para o espelho. — Desta vez, é você quem precisa ouvir. Não faça isso, Soph. — Lori apertou os ombros dela. — Não. Faça. Isso.

Sophie encarou a mulher incrivelmente sexy refletida no espelho: nunca teria conseguido fazer isso sem ajuda profissional.

Era agora ou nunca.

— Preciso fazer isso.

Lori parecia séria e preocupada, como Sophie jamais vira.

— Os garotos não vão se aguentar ao ver você desse jeito. Quer dizer, eles estão acostumados a me verem tirar vantagem do visual, mas você... nem pensar. Não vão gostar nem um pouco disso.

— Azar deles.

Finalmente, Lori quase sorriu, mas então perguntou:

— O que vai acontecer se seu tiro sair pela culatra?

O coração de Sophie fraquejou ao pensar nas muitas coisas que poderiam sair erradas com relação a seu brilhante plano de ensinar uma lição a Jake por ignorá-la durante todos esses anos. Mesmo assim, achou-se confiante e segura quando respondeu à irmã:

— Não vai sair pela culatra.

E, mesmo ainda sentindo o calor das pontas dos dedos de Jake onde ele havia lhe tocado rosto, ela disse a si mesma que essa era a verdade. Pois se havia uma coisa que todo mundo sabia sobre Sophie Sullivan era que ela nunca, jamais, mentia. A ninguém.

E, certamente, não para si mesma.

Ellen, a gerente da vinícola de Marcus, que havia ajudado Sophie com muitos detalhes do casamento, enfiou a cabeça na porta do quarto.

— Está na hora de dar nosso adeus à noiva. Vocês duas estão lindas. — Ela levou uns dois segundos a mais olhando para Sophie, com uma leve expressão de surpresa no rosto, antes de dizer: — Na verdade, mais do que lindas. Estão prontas?

O coração de Sophie saltou no peito ao pensar em sua entrada triunfal. Claro que não estava pronta... mas aquilo era o máximo que conseguiria estar.

Ela juntou-se a Lori, a Nicole, namorada pop-star de Marcus, a Megan, namorada de Gabe, e às duas outras madrinhas, antigas amigas de Chloe, no pórtico. Como madrinhas principais, Sophie e Lori decidiram no *joquempô* qual das duas entraria primeiro com Marcus, o Sullivan mais velho.

Sophie tinha certeza de que Lori trapaceara; sempre fazia isso. No entanto, agora ela estava feliz por não ser a primeira a entrar. Melhor ainda era ter Smith como parceiro caminhando pelo corredor com ela. Esperava que todos ficassem babando sobre o astro de cinema, pelo menos tempo suficiente para que se acostumasse um pouco melhor à sua nova *persona* de deusa sexy.

Como Lori previra, os irmãos pararam e ficaram embasbacados diante dela ao caminharem até o pórtico. Infelizmente, a surpresa virou cara feia em questão de segundos.

— Sophie?

A expressão do rosto de seu irmão mais velho parecia anunciar uma trovoada, e ela teve que se forçar a manter os pés firmes no chão na frente de Marcus, em vez de recuar e sair correndo de volta para dentro, para limpar a maquiagem do rosto e pentear seu cabelo escovado e brilhante de volta ao estilo a que todos estavam acostumados.

— Que diab...

Nicole colocou a mão no antebraço de Marcus bem a tempo.

— Ei, bonitão — ela brincou. — Ouvi dizer que você é dono desta espelunca.

Graças a Deus que Marcus não tinha forças para resistir à sua namorada de tirar o fôlego, especialmente quando ela, na ponta dos pés, cochichou alguma coisa no ouvido dele e o fez puxá-la para um canto escondido do pórtico para beijá-la.

Sophie fez uma anotação mental para, no futuro, retribuir à altura a Nicole pelo que acabara de fazer. Talvez um novo *e-reader* já recheado de livros para serem lidos durante as longas horas em turnê?

Por azar, Gabe estava logo atrás e perguntou:

— Por que está usando toda essa maquiagem, Soph?

Megan, que tinha se tornado uma das amigas mais íntimas de Sophie depois que as duas haviam se reencontrado alguns meses atrás, deu um olhar cúmplice à amiga antes de entrar na frente de Gabe.

— A Summer precisa de ajuda com a cestinha de pétala de flores. Está chamando você, Gabe.

O irmão bombeiro de Sophie tinha se apaixonado loucamente pela amiga dela e sua filhinha, depois de salvá-las de um incêndio perigoso. Ele não tinha a menor chance de continuar prestando atenção no que quer que fosse que Sophie estava aprontando quando a filhinha de 7 anos de Megan precisava dele.

Era uma pena que Ryan, Zach e Smith não tivessem namoradas no pórtico para distraí-los. Ryan olhava de Sophie para Lori.

— Vocês duas não vão fazer aquele negócio de gêmeas trocadas de novo, vão? — disse ele.

Zach parecia totalmente confuso.

— Se estiverem aprontando alguma, é melhor eu nem saber. — Então, continuou: — Juro por Deus, Boazinha, se alguém só olhar para você atravessado, vou arrebentar a cabeça do cara no chão até virar adubo para o vinhedo do Marcus.

— E se alguém olhar para mim? — Lori perguntou, parecendo afrontada, obviamente tentando tirar a atenção dos irmãos de sua irmã gêmea.

— Você sabe se cuidar — ele respondeu.

— Eu também sei — Sophie advertiu.

— Até parece — Smith retrucou.

O segundo irmão mais velho dela, que por acaso era um dos maiores astros do cinema do mundo, a observava em silêncio. Apesar de serem como a água e o vinho, ele sempre fazendo sucesso sob os holofotes e ela querendo se afastar disso o máximo possível, Sophie sempre fora especialmente próxima de Smith.

Ele pegou na mão dela.

— Vamos ensaiar nossa caminhada pelo corredor.

Sophie estava tão atormentada pelos irmãos que só naquele momento percebeu quem estava faltando.

— Onde está o Jake?

— Ele teve uma emergência com as bebidas — Smith respondeu e, então, quando estavam do outro lado do pórtico, elogiou-a: — Você está linda, Soph.

— Obrigada.

— O que está acontecendo?

Ela engoliu em seco.

— Eu queria ficar bonita para o casamento.

— Você já era bonita. Antes... — Ele apontou para o cabelo, maquiagem e vestido.

O coração dela se apertou diante da maneira como o irmão a olhou, como se fosse uma menininha a quem ele precisasse proteger. Será que ele não via? Era exatamente por essa razão que ela precisava fazer isso. Assim, todos parariam de pensar nela como a doce e meiga Boazinha.

Mas Smith não percebia, nenhum de seus irmãos percebia que, cada vez mais, alimentavam a decisão dela.

Uma parte dela queria desesperadamente confiar em Smith, amparar-se nos braços fortes do irmão mais velho. Mas sabia que era melhor não. Se lhe contasse o que estava fazendo, ele provavelmente a trancaria na casa de hóspedes até o casamento terminar.

— Vou entrar no corredor de braços dados com um astro de cinema — ela forçou-se a dizer. — Quem sabe onde essa foto vai parar?

Infelizmente, Smith não chegou nem perto de morder a isca.

— E desde quando você liga para essas coisas?

Desde nunca, mas isso era outra coisa.

Ela inclinou-se para a frente e envolveu-os nos braços.

— Estou tão feliz por estar aqui. Estava com saudades de você.

Sentiu o beijo dele em sua testa. Desde os 2 anos de idade, ela nunca tivera um pai, mas nunca sentira nenhum vazio. Não, pois sempre fora envolvida por tanto amor, com Smith e Marcus e Chase para abraçá-la, com Zach e Ryan para pegar no pé dela, com Gabe e Lori para brincar e brigar com ela.

— Também senti saudade de você, Boazinha. — Ele afastou-se para olhá-la novamente. Ela se perguntava por que não ficava brava quando Smith usava seu apelido, mas queria acabar com Jake quando ele o dizia. — Acho que não esperava voltar da Austrália e ver que você tinha mudado.

— Ainda sou a mesma — ela insistiu com uma voz suave.

A verdade, porém, era que mal havia passado uma hora de sua "transformação" e as coisas já estavam diferentes. Para começar, nunca tivera conversas como essa com nenhum de seus irmãos. E, ainda que não estivesse completamente segura se algum dia usaria esse visual de novo, apesar de seus receios em se fazer de boba em um vestido elegante e saltos altíssimos, havia uma parte dela que gostava da mudança. Que porcaria! Até mesmo a garçonete de seu restaurante tailandês favorito tinha perguntado da última vez que estivera lá: "Vai pedir o de sempre?".

Sophie, de repente, deu-se conta de que estava enredada em uma armadilha; uma armadilha boa e gostosa.

Os passos na direção deles fizeram Smith e ela se separarem, e o irmão arrumou-lhe o cabelo de volta no lugar.

— Você realmente está linda, Soph. Diferente, mas estonteante.

Dessa vez, só havia orgulho nos olhos dele. E quando os dois obedeceram às instruções de Ellen para seguir Marcus e Lori pelo corredor através das vinhas até o caminho enfeitado com rosas, Sophie não precisou fingir seu sorriso radiante.

Preparem-se, ela pensou, *Sophie Sullivan está prestes a soltar as asas.*

E, se desse tudo certo, Jake McCann não faria ideia do que o teria atingido.

CAPÍTULO TRÊS

Jake saiu de trás do bar no momento em que a marcha nupcial começou e uma garotinha loura e linda entrou saltitando pelo corredor, jogando pétalas de flores pelo ar. Encantados, os convidados riram e admiraram a filha da namorada de Gabe. Marcus e Lori vieram logo depois, o Sullivan mais velho com a Sullivan mais nova. Lori colocou-se no lugar das madrinhas e Marcus dirigiu-se ao centro, em preparação para oficializar a cerimônia.

Mais uma vez, Jake mal conseguia acreditar que esse dia havia chegado. Havia algumas coisas na vida com as quais ele sempre contara: a cerveja era sempre melhor quando tirada diretamente do barril; o pai dele nunca passara de um bêbado deplorável; os garotos Sullivan não subiriam ao altar num futuro próximo.

Ellen localizou-o e fez sinal para que tomasse seu lugar ao lado da madrinha a quem estava acompanhando. Ele ainda não fora apresentado a ela, mas esperava que Chloe tivesse bom gosto para amigas. A essa altura, a única maneira de tirar Sophie de seu pensamento, depois de um longo dia juntos no casamento, era ter certeza de que terminaria a noite na cama com uma mulher maravilhosa que fosse o oposto dela.

Estava quase chegando perto da madrinha quando seu coração e seus pés congelaram.

Que diabo aconteceu com a Sophie?

Jake piscou, tentando fixar o olhar, enquanto Sophie e Smith davam a volta em uma fileira de vinhas e continuaram andando pelo corredor. Quando continuou a ver coisas minutos depois — coisas loucas, insanas — passou a mão sobre os olhos.

Mas nada mudou o fato de Sophie estar parecendo sexo sobre pernas, naquele vestido rosa escorregadio e saltos altos. Ela com certeza não estava mais usando o suéter e a saia sobre os quais ele fizera um comentário tão grosseiro. No entanto, o vestido não era a única coisa diferente. O que tinha feito com o cabelo? E por que os olhos pareciam tão grandes, seus lábios tão vermelhos?

O corpo de Jake reagiu àquela figura absolutamente sensual antes que pudesse impedir; todo o sangue que deveria alimentar seu cérebro para *nunca* olhar para Sophie Sullivan desse jeito, especialmente na frente dos seis irmãos dela, correu para baixo.

A mão de Ellen em seu cotovelo assustou-o.

— Está quase na sua vez de entrar, Jake.

Ele ouviu o que ela disse, sabia que precisava se juntar ao resto do grupo, mas mesmo enquanto oferecia o braço à amiga de Chloe — ele não entendeu o nome dela e não se deu ao trabalho de perguntar de novo — não conseguia tirar os olhos de Sophie.

A visão dela por trás também não colaborava com a situação, que droga! Sophie Sullivan tinha um traseiro perfeito e naquele exato momento estava exibindo-o para centenas de pessoas, naquele vestido que deslizava para cima e para baixo sobre suas curvas, tão justo que ele tinha certeza de que não havia a menor possibilidade de que ela estivesse usando alguma coisa por baixo.

De repente, Jake sentiu necessidade de tirá-la do casamento, afastá-la daqueles olhos famintos dos homens embevecidos, fazê-la vestir de volta suas roupas normais, roupas que a cobriam da maneira que deveriam cobri-la, e teve que se controlar para ignorar sua vontade. Não suportava saber que dezenas de caras entre os convidados estavam babando nesse momento, até mesmo os casados, e que não tinham nenhum direito de ter esse tipo de pensamento sobre a pequena Sophie.

De qualquer forma... ela não parecia exatamente jovem e inocente, não parecia tão intocável assim, parecia?

Ellen disse o nome dele de novo e Jake atendeu ao chamado para começar a andar. Gabe e Megan, que se encontravam na frente dele, impediram a visão de Sophie por alguns poucos segundos, e ele teve que virar o pescoço para continuar olhando para ela, enquanto Sophie tomava o lugar ao lado de Lori, embaixo dos arcos cobertos de rosas.

Um momento depois, Sophie olhou para a frente e viu-o olhando fixamente para ela. Jake tentou olhar para o outro lado, mas não conseguiu.

A mulher de braços dados com ele teve que puxá-lo para mantê-lo caminhando na direção certa. A última coisa que Jake viu antes de tomar seu lugar ao lado de Gabe na fila foi a boca macia de Sophie abrir um sorriso absolutamente sensual e feminino.

Sophie sempre havia adorado casamentos e, apesar de estar nervosa, não teve como não se envolver no clima romântico. Claro, a vinícola Sullivan era possivelmente o lugar mais glorioso para uma cerimônia de casamento: folhas brotando das vinhas, flores de mostarda florescendo em cada pedaço livre de terra, colinas a perder de vista, céu azul brilhante, buquês de flores nos vasos e nos arranjos ao final de cada fileira de assentos — tudo isso eram complementos maravilhosos ao amor entre Chase e Chloe.

Marcus estava fazendo um trabalho magnífico oficializando o casamento de Chase. Sophie podia perceber que ele estava tão emocionado quanto o restante dos convidados, mas sua voz permaneceu firme e clara quando perguntou a Chase e Chloe se eles se amariam, se honrariam e confortariam um ao outro.

Sophie procurou a mão de Lori e segurou-a com força enquanto esperava por aquele momento perfeito, quando o irmão declararia o amor pela noiva. Quando Chase virou-se e sorriu para Chloe, foi como se o mundo tivesse parado. O nó no peito de Sophie apertou-se diante do amor incondicional que emanava do irmão para a noiva.

Sophie se perguntou como seria ter um homem olhando para ela daquela maneira, como se fosse absolutamente tudo para ele.

Ao ouvir Chase dizer: "Amarei você para sempre, Chloe", um leve suspiro saiu dos lábios de Sophie ao mesmo tempo em que uma lágrima lhe escorria sobre a face. Momentos depois, quando Chloe fez o mesmo voto para Chase, mais lágrimas se derramaram, uma depois da outra. E, quando Marcus os declarou marido e mulher, todos comemoraram, mas ninguém mais alto do que a silenciosa Sophie Sullivan.

Jake nunca havia ligado para casamentos. Até onde ele sabia, casamentos tomavam tempo demais de um final de semana perfeitamente bom e eram um desperdício do dinheiro ganho a duras penas. Principalmente porque pelo menos metade das uniões terminava em divórcio.

Porém, por alguma razão, esse casamento era diferente. Tinha passado tempo suficiente com Chase e Chloe para achar que realmente tinham uma chance de fazer aquilo funcionar. Com um bebê a bordo, Jake certamente torcia para que o casamento desse certo.

Na verdade, não que ele estivesse prestando muita atenção ao casamento que estava acontecendo... pois não conseguia tirar os olhos da irmã do noivo.

Quando Sophie caminhara pelo corredor, Jake ficara estupidamente abalado ao vê-la tão sexy naquele vestido. Quase não a reconhecera como a garotinha meiga grudada em seus calcanhares quando eram crianças. Mas, então, enquanto a observava durante a cerimônia, ela se transformara novamente.

Ainda ridiculamente sexy, mas novamente meiga, ela abriu bem os olhos enquanto ouvia os votos matrimoniais, inclinada em direção aos noivos, como se quisesse fazer parte da felicidade deles. E, naquele momento, quando ela agarrou a mão de Lori, ele desejou, por um milésimo de segundo, que Sophie tivesse procurado pela dele.

E que fosse ele que tivesse segurado a mão dela.

Jake sentiu com se alguém tivesse lhe enfiado a mão no peito e lhe apertado o coração, espremendo-o até que não houvesse nada além de um emaranhado de sangue e veias. Nunca seria capaz de apagar da memória a esperança e o desejo nos olhos de Sophie enquanto assistia a Chase e Chloe jurarem amor um ao outro.

Antes que pudesse perceber, Sophie estava pegando o braço de Smith e saindo pelo corredor, seu traseiro perfeito balançando no ritmo da música clássica que tocava.

— Alô, alô, Terra chamando Jake — Gabe chamou, pegando-lhe no cotovelo um pouco antes de ir em direção a Megan, para acompanhá-la de volta pelo corredor que levava até as pessoas em volta de Chase e Chloe. — Acabou. Hora de ir embora.

CAPÍTULO QUATRO

Só havia uma cura certeira para o súbito surto de insanidade de Jake. Ele ficaria no bar... e então encontraria uma mulher disponível que não tivesse nada a ver com a família Sullivan. Assim, se afastaria completamente de Sophie até o final do casamento. Uma pequena distância daquelas curvas macias e daqueles lábios vermelhos carnudos o ajudaria a colocar a cabeça no lugar.

— Eu cuido disso aqui — ele disse a Sammy, um dos melhores *bartenders* no McCann's original na cidade. — Pode circular com as bandejas.

Felizmente, os convidados do casamento estavam com sede, claramente precisando de vinho ou de cerveja para lavar a garganta do gosto adocicado dos votos de amor eterno. Servir bebidas a estranhos era tão natural para Jake quanto respirar, e ele imediatamente pegou o ritmo no meio da vinícola, enquanto a refeição era servida e os convidados iam e vinham até o bar entre um prato e outro. Ele não conseguia se lembrar de alguma época em que não estivesse secando copos limpos ou organizando garrafas. Quando criança, enquanto seu pai tomava conta dos barris de cerveja, Jake ficava no fundo enchendo e esvaziando a máquina de lavar louça para ganhar um extra, enquanto os cozinheiros de qualquer um dos pubs onde estivessem preparavam pratos de peixe, batatas fritas e purê de batata com repolho.

Quando as convidadas flertavam com ele no bar, ele flertava de volta. E daí que nenhuma delas chegasse nem aos pés da beleza de Sophie? Os Sullivan estavam se casando, um após o outro, como se tivessem sido infectados pelo mesmo vírus, mas Jake já tinha se vacinado contra isso.

O *amor* não o pegaria.

Ele sabia que era melhor não pensar que o amor significaria alguma coisa quando a situação ficasse difícil e fosse mais fácil separar. O futuro de Jake era sem esposa, sem filhos, com muitas mulheres lindas e sem anéis de compromisso. Ele brincaria com todos os filhos do clã dos Sullivan que viessem ao mundo, adoraria ser o Tio Jake, mas nunca cometeria o erro de pensar em ser um bom marido ou um bom pai.

Os McCann não vinham com esses genes.

— Você ainda não comeu nada.

A voz feminina levemente rouca tomou conta dele um segundo antes de olhar diretamente dentro dos olhos de Sophie. A leve sensualidade dentro daquele vestido rosa e o doce perfume dela eram como socos seguidos num estômago que ainda não tinha se recuperado das lágrimas que vira escorrer pelo rosto dela, nem do sorriso radiante que viera em seguida.

Sem esperar ser convidada, Sophie colocou um prato cheio de comida para ele na mesa de trás e deu a volta no bar para ficar em pé ao lado de Jake.

— Chegue para lá. Eu tomo conta disso enquanto você come. — Ela bateu o quadril no dele, fazendo-o ficar rígido por um segundo, o corpo dele não se importando nem um pouco com o fato de ela estar totalmente fora de sua alçada.

Como os irmãos haviam permitido que ela saísse desse jeito? O que estavam pensando? Será que não se importavam nem um pouco com o bem-estar da irmã?

Enquanto ele ficava lá, em pé, perdendo a cabeça, Sophie escutava os pedidos das bebidas e, com destreza, enchia os copos de vinho ou de bebidas variadas para os convidados. Ela era uma bibliotecária, não uma *bartender*; não deveria ser tão boa servindo bebidas. E nenhuma bibliotecária deveria ser tão atraente assim, Jake pensava enquanto cerrava o maxilar com tanta força que fazia seu rosto latejar. Ele a deixaria ajudar por cinco minutos e então a mandaria de volta para a mesa, para comemorar com o restante da família, garantindo que ficasse lá até o final da recepção.

Mesmo que tivesse que amarrá-la na cadeira.

Uma garrafa de cerveja quase lhe escapou da mão quando Jake foi tomado pela nítida visão de Sophie amarrada à cama dele, nua e implorando para que a tocasse, para que sentisse seu gosto...

— Ouvi dizer que você é bibliotecária. Leu algum livro interessante ultimamente?

Jake emergiu de seu sonho proibido a tempo de notar um convidado inclinando-se sobre o bar e olhando para o decote do vestido de Sophie.

Ela pareceu não perceber nada daquilo enquanto sorria de volta para o cara; era inocente demais para perceber que um sujeito como esse tinha um objetivo único e claro: se enfiar dentro da calcinha dela. Calcinha que Jake tinha quase certeza de que ela não estava usando.

— Humm — ela respondeu com uma voz sedutora, ainda levemente rouca das lágrimas, fazendo Jake ser tomado novamente por outra visão insana dela deitada embaixo dele, gritando seu nome até ficar totalmente sem voz. — Estou sempre lendo bons livros. O que você gosta de ler?

O cara deu de ombros, parecendo não se importar com a longa fila de convidados sedentos que se formava atrás dele.

— Sou méd...

— O que vai beber? — Jake interrompeu.

O cara deu uma olhada feia, que dizia *Não está vendo que estou quase marcando um ponto aqui?*.

— Corona — ele respondeu a Jake antes de voltar-se para os seios fenomenais de Sophie. — Como estava dizendo, sou médico, então não tenho muito tempo para ler. Mas, quando tenho, costumo ler livros de ação. Que envolvam medicina, mais especificamente.

Jake não acreditou quando Sophie inclinou-se sobre o bar e disse:

— Aah, que interessante. Livros de ação sempre me tiram o fôlego.

Será que ela não entendia que esse fracassado estava muito abaixo do nível dela? Ela deveria estar jogando uma bebida na cara dele, não lhe dando uma visão melhor daquele corpo perfeito enquanto se abaixava para pegar uma garrafa de cerveja. O Doutor Babaca achava que tinha ganhado o jogo e estava contando os minutos para lhe arrancar aquele vestido da pele bronzeada e descobrir se o gosto dela era tão bom quanto seu perfume.

Nem a pau. Jake o mataria antes disso.

Ele arrancou a garrafa da mão dela.

— Aqui está sua cerveja. Está na hora de deixar as outras pessoas pegarem uma bebida.

Pôde sentir Sophie franzindo o cenho enquanto ele olhava feio para o cara. Se ela não sabia a diferença entre o bem e o mal, ele precisava salvá-la. Que ela quisesse isso ou não, era completamente irrelevante.

Apesar de o cara ter recuado diante da silenciosa promessa de violência de Jake, isso não o impediu de dizer:

— Reserve uma dança para mim — antes de se afastar.

Jake se controlou por pouco. Nada seria melhor do que pular o balcão do bar e dar uma coça no cara para mostrar o que acontecia quando flertava com a garota errada. Uma garota que era meiga demais, linda demais, perfeita demais para ele jamais pensar em tocar um só fio de cabelo dela.

— Você não vai dançar com ele — ele grunhiu. — Nem nesta noite, nem nunca.

— Já sou bem grandinha, Jake. Danço com quem quiser.

Servir os clientes, que sempre fora prioridade para Jake, ficou fora de cogitação. Dando as costas para os convidados já na fila, ele colocou-se entre Sophie e o bar e então colocou as mãos sobre os ombros dela, apertando-os com força.

— Não, você não vai dançar. Ele não serve para você.

— É muito gentil da sua parte se preocupar comigo, Jake — ela disse com voz suave. — Mas posso tomar conta de mim mesma.

— Seus irmãos me matariam se alguma coisa acontecesse a você.

Que merda! Eles o matariam se algum dia suspeitassem da maneira como pensava nela.

— Na verdade — ela disse enquanto olhava por sobre o ombro dele —, acho que os convidados dos meus irmãos podiam matar nós dois se não continuarmos a servir as bebidas.

Muito relutante, Jake voltou ao seu posto. Mas, mesmo não tendo derramado uma só gota ou deixado nenhuma outra garrafa escorregar, a atenção dele estava totalmente focada em Sophie. E foi por isso que a viu olhar de relance para o idiota que acabara de flertar com ela, antes de Sophie dizer:

— Acho que ele parece perfeitamente inofensivo. Na verdade...

Jake jogou uma garrafa vazia no lixo embaixo do bar, fazendo um barulho alto.

— Na verdade o quê?

— Já que você não quer me ajudar com o plano de provocar ciúmes no meu ex, talvez eu possa usar esse cara.

— Sammy — ele chamou em voz alta pela recepção, gesticulando para seu funcionário tomar conta do bar novamente. Não esperou até Sam chegar ao bar antes de pegar Sophie pelo pulso e afastá-la de lá. Não parou de andar até estarem escondidos atrás de um armazém, bem no começo da área da recepção.

— Não.

Ela olhou para a mão dele, que ainda lhe agarrava o punho.

— Sabe que existem milhares de outras palavras na língua inglesa, não sabe?

Ele ignorou o sarcasmo dela e ordenou sem rodeios:

— Você não vai chegar nem perto daquele cara de novo.

A raiva brilhou nos olhos dela; olhos que, minutos atrás, estiveram cheios de lágrimas de felicidade, cheios de alegria.

— Você não pode me dizer o que fazer.

— Até parece que não.

Ela puxou o braço e começou a se afastar, mas ele não podia deixá-la ir. Não quando Sophie estava a ponto de cometer uma estupidez, como beijar um médico idiota. E talvez até lhe oferecer o corpo, aquelas curvas macias escorregando para cima e para baixo enquanto se entregava a ele.

Furioso com a ideia de qualquer pessoa tocar Sophie dessa forma, em vez de só agarrar-lhe o pulso ou os ombros, dessa vez Jake enroscou os braços em volta dela toda e puxou-a para perto de si. Ele a segurou com força, o peito de Sophie pressionando os antebraços dele, sua altura equilibrando-se com a dele, os quadris encaixando-se perfeitamente entre as pernas abertas de Jake, apertando-lhe os testículos.

— Me solte.

— Não.

A nova palavra favorita dele foi abafada pelo cabelo dela, tão macio e sedoso contra o queixo e os lábios dele. E a verdade era que ele não a teria deixado escapar por nada desse mundo. Não só porque não queria que outro cara a tocasse... mas porque nunca quisera abraçar alguém mais do que desejava abraçar Sophie.

Quanto tempo sonhara em abraçá-la? Tantos anos que até perdera a conta. Mesmo assim, nunca imaginara o quão maravilhoso seria senti-la em seus braços, ter aquelas curvas perigosas pressionadas contra ele, o peito dela subindo e descendo perto dele.

— Não vou deixar você ir embora até me prometer que vai ficar longe dele.

Agora era a vez dela:

— Não.

Ele mexeu a mão o suficiente para colocar um dedo sob o queixo dela, virando-lhe o rosto para que pudesse olhar nos olhos dele.

— Prometa para mim, Sophie. É para o seu próprio bem.

Sophie afastou o rosto da mão dele, depois todo o corpo, e, quando se virou para encará-lo, os olhos dela brilhavam.

— Não posso acreditar que *você* acabou de dizer isso! Especialmente você que, dentre todas as pessoas, *não faz a menor ideia* do que é bom para mim.

— Quer apostar?

A boca de Jake estava sobre a dela antes que pudesse conter seu desejo. Estava bravo demais, decepcionado demais consigo mesmo por querer tanto Sophie, e pela teimosia irritante dela, para ser gentil.

Os lábios não eram suficientes. Ele precisava das línguas. Precisava escorregar uma mão dentro do cabelo dela para virar-lhe a cabeça no ângulo certo e tomar posse do que ela estava prestes a oferecer a outro cara, que não valia nada. Precisava agarrar as curvas sedutoras de seus quadris com a outra mão para puxá-la para mais perto.

Em algum lugar de seu cérebro, sabia que estava indo rápido demais para que ela pudesse gostar do beijo, quanto mais manter o ritmo dele. No entanto, ainda que devesse brigar com ele, os braços dela se enroscaram em volta do pescoço de Jake e Sophie gemeu suavemente contra aqueles lábios másculos, enquanto deslizava sua língua sobre a dele.

Meu bom Deus, Sophie era tudo o que ele sempre quisera em uma mulher. O cheiro, o gosto, o toque dela. Ele não conseguia evitar que suas mãos subissem dos quadris para a cintura, para a parte de baixo do tórax e então — meu Deus, ela era tão gostosa — até a curva do seio dela na palma de sua mão.

Ela arfou dentro da boca de Jake, tremendo de prazer quando a ponta do dedão roçou-lhe o mamilo excitado, e ele soube que estava quase no limite de baixá-la até a grama e puxar-lhe o vestido para cima das pernas longas, até poder tocá-la, lambê-la e...

Que merda estava fazendo?

Sabendo que Sophie não tinha a menor chance de lutar com um cara como ele se quisesse possuí-la, suas entranhas encheram-se de ódio de si mesmo quando a soltou abruptamente, tão rápido que ela quase caiu de cima dos saltos. Mesmo sabendo que era melhor nunca mais tocá-la de novo, ele não podia deixá-la cair. Assim que a viu com os pés firmes, forçou-se a ignorar a vontade de puxá-la de volta para seus braços, vontade que era tão forte que parecia ferir suas entranhas.

Os lábios de Sophie estavam inchados do beijo violento dele, as bochechas enrubescidas, e os olhos dela brilhavam com o que ele assumiu serem lágrimas a derramar. Ele esperava que ela o estapeasse ou, no mínimo, virasse e corresse para contar aos irmãos o que acabara de acontecer.

Assim, eles poderiam matá-lo.

O que era exatamente o que merecia por ousar beijar aqueles lábios tão doces.

Entretanto, Sophie não correu nem chorou. Em vez disso, ficou em pé na frente dele, parecendo mais linda do que nunca. De um lado vulnerável, do outro, estupefata.

— Ninguém nunca me beijou assim — ela comentou com uma voz quase sem fôlego. — Como se não bastasse, como se não pudesse parar e eu estivesse enlouquecendo você. Todos esses anos e nunca imaginei que fosse ser assim.

Jesus, era muito sexy vê-la reprisar o beijo colocando-o em palavras. Mas o peito dele contorcia-se diante da maneira como ela estava agindo, como se não a tivesse maltratado, como se não estivesse a um passo de arrancar-lhe o vestido e tomar posse de algo que ela nunca deveria oferecer a um cara como ele. Ela era romântica o suficiente para imaginá-lo como algo diferente do cafajeste que ele realmente fora durante todos esses anos.

Jake sabia da verdade. Ele vinha de uma longa linhagem de cafajestes.

— Sophie — ele disse com uma voz baixa e cheia de remorso. — Nunca deveria ter beijado você. Ainda mais desse jeito.

Tinha se comportado como um homem totalmente insano: mais alguns segundos e Sophie estaria embaixo dele, sobre a grama, o vestido levantado até a altura dos quadris e puxado até embaixo dos seios. Se tivesse feito isso com ela, se a tivesse marcado com seu desejo fora de controle, não teria esperado que os irmãos dela o matassem.

Ele mesmo teria se matado, com prazer.

— Nós dois somos parte do que aconteceu. — A voz dela era suave, mas surpreendentemente firme. Seus olhos estavam claros e fixos nos dele, quando ela, mais uma vez, o deixou atônito. — Sempre quis que você me beijasse, durante muito, muito tempo.

Enquanto arfava, de uma maneira que quase a fazia sair de dentro do vestido, Jake sabia que o universo estava pagando de volta tudo o que ele fizera de mal durante toda a sua vida. Sentiu o colarinho apertado, apesar de estar desabotoado e de não estar usando mais a gravata.

Ela chegou mais perto. Perto demais. Mas ele não conseguia se afastar dela. Principalmente quando cada célula do seu corpo queria transpor a distância e voltar para o lugar onde ela finalmente ficaria nos braços dele.

— Meus irmãos ficaram descontrolados antes do casamento quando me viram.

Jake não podia fazer nada além de ficar impressionado pela coragem dela ao apontar para o vestido, o cabelo e o rosto.

— Eles ficaram me perguntando o que estava acontecendo, e eu lhes disse que não era nada. Disse a eles que tudo o que eu queria era me divertir com a cabeleireira e a maquiadora. Mas estava mentindo. Para eles e para mim mesma. — Ela olhou bem dentro dos olhos dele. — Fiz tudo isso para você, Jake. Para ver se finalmente conseguia fazer você reparar que eu estava viva. Para que visse que eu não sou mais uma garotinha com uma queda boba por você. Que eu sou uma mulher.

Jake não tinha nenhuma experiência com esse tipo de honestidade, com uma mulher abrindo o coração para ele dessa forma e colocando as cartas na mesa. Era capaz de administrar um negócio que valia milhões. Podia pilotar um iate de 70 pés por águas turbulentas depois de três noites sem dormir. Porém, não era páreo para a linda garota em pé na frente dele.

Ele conhecia seus limites, sabia que, apesar do sucesso com seus pubs irlandeses, continuava a ser o filho idiota de um *bartender*. Um dia, Jake sabia, ele estaria ali no casamento dela, observando-a caminhar pelo corredor, mesmo que a visão de Sophie nos braços, e na cama, de outro homem o fizesse enxergar tudo vermelho.

Mas será que não sabia que era melhor não ficar muito perto dela?

— O vestido, a maquiagem, está tudo lindo, Boazinha. — Ele usou o apelido de propósito, querendo relembrá-la do que ele significava para ela. — Mas isso não muda o fato de que você ainda vai ter muitas quedas por muitos caras até encontrar o certo para você.

Algo pegou fogo nos olhos dela, um tipo de olhar que Jake vira algumas vezes nos últimos meses.

— Você acha mesmo? — Ela passou a língua sobre os lábios carnudos e a pressão arterial dele subiu mais uns dez pontos. Podia jurar que ela o estava provocando de propósito quando se inclinou um pouco mais perto e disse: — Você realmente acha que vou me sentir desse jeito de novo com outro cara?

Será que ela não percebia que não havia nada que pudesse ter dito que o acertasse tão em cheio? Ele não poderia tê-la, mas, puta merda, também não havia outro homem na face da Terra que fosse bom o suficiente para ela. A ideia de outra pessoa beijando-a do jeito que ele tinha feito, a ideia de ela sair em busca desse tipo de tratamento fazia-o querer trancá-la em uma torre.

Era impossível que Sophie ainda fosse virgem aos 25 anos. Mesmo assim, Jake ainda sentia que tirara alguma coisa dela com aquele beijo violento; que havia sujado a inocência dela enfiando sua língua na boca de Sophie, colocando as mãos sobre ela.

— Você merece coisa melhor.

Sophie meneou a cabeça e franziu o cenho para ele no momento em que Lori avançava pelo canto do armazém.

— Aí está você, Soph! Procurei por você por toda parte. — Lori parou subitamente quando percebeu que a gêmea não estava sozinha. — Jake? O que está fazendo com... — A irmã de Sophie não terminou a pergunta enquanto fazia uma expressão inquisitiva, olhando de um para o outro.

Os garotos Sullivan estavam prestes a fazer picadinho dele com as próprias mãos por causa disso.

Mas, Lori? A punição dela seria muito pior para fazê-lo pagar por ter beijado sua irmã gêmea.

— Os discursos já vão começar. Todo mundo está se perguntando por onde você anda, Soph, especialmente a Ellen. — Ela olhou para Jake de modo tão feroz que poderia tê-lo cortado ao meio. — E você também.

— Ok — Sophie respondeu com uma voz mais do que animada. — Obrigada por nos avisar. Vamos para lá em um minuto.

Porém, em vez de deixá-los sozinhos, Lori parou na frente de Sophie.

— Você não pode aparecer lá desse jeito. — Ela passou as mãos pelos cabelos de Sophie, arrumando a bagunça que Jake fizera quando a agarrara. Lori tirou uma mancha de batom do canto da boca da irmã e mexeu o vestido levemente para a direita. — Assim está melhor. E, sério, deveria voltar para lá antes que a Ellen tenha um ataque cardíaco achando que algum convidado idiota foi estúpido o bastante para levar você para dentro do vinhedo.

Sophie ficou em silêncio por um momento.

— Você está certa. Não quero que nada dê errado hoje. Não seria justo com o Chase e a Chloe.

— Vamos para lá em um segundo — Lori disse. — Preciso conversar com o Jake sobre uma coisa.

— Ele me beijou — Sophie disse à irmã, a expressão de teimosia estampada no rosto enquanto a encarava. — Agora, não precisa falar sobre isso. Vamos. — Ela agarrou a mão da irmã para ter certeza de que atravessariam juntas o armazém.

Mais uma vez, Jake estava impressionado com Sophie. Lori tinha uma personalidade forte o suficiente para pressionar a maioria das pessoas. Ele sempre assumira que Sophie era beta e sua irmã, alfa.

Será que tinha entendido tudo errado durante todos esses anos? Será que tinha cometido o erro de subestimar Sophie só porque ela não sentia necessidade de ser o centro das atenções, como o restante deles?

— Ah, não — Sophie exclamou. — Aquele garotinho está quase derrubando a Torre Eiffel de chocolate. E começou a andar rápido em direção à longa mesa de comida e do garoto faminto, deixando Jake sozinho com a sargento Lori.

Ele era um homem morto.

— Que diabo estava acontecendo lá trás? — Ela semicerrou os olhos, soltando fogo pelas ventas. — O que estava fazendo com minha irmã?

Jake gostaria de saber. Num momento, tentava proteger Sophie de um convidado inútil que só queria levá-la para a cama... no outro, ela estava nos braços dele, e ele a beijava como se sua própria vida dependesse daquilo.

Lori deu um passo à frente e Jake teve que lutar contra a vontade de dar um passo para trás, recuando.

— Se magoá-la, vou te perseguir e ter o maior prazer em te machucar. Muito. — Ela sorriu para ele, a expressão dos lábios prometendo uma grande dor futura caso ele pisasse na bola no que se referia a Sophie. — E é melhor você acreditar que vou te manter vivo só para poder mandar meus irmãos acabarem com você. — Ela tirou a expressão assassina do rosto antes de continuar: — Agora, me acompanhe até minha mesa e finja que você e eu só estávamos tendo uma de nossas brigas de sempre.

Ela escorregou a mão para dentro do braço dele e beliscou-o com força, para lembrá-lo de que o verdadeiro problema era ficar se enroscando com Sophie.

Um problema muito maior do que qualquer cafajeste como ele jamais se metera antes.

CAPÍTULO CINCO

Depois de arrumar a torre de *fondue* num piscar de olhos e apontar uma cumbuca cheia de bombons para o garoto, Sophie foi lavar as mãos e tirar alguns minutos para recompor-se. Ainda sentia o frio na barriga ao lembrar-se de quanto se sentira deliciosamente sensual nos braços de Jake. Ele era ainda mais gostoso, mais perigoso e mais potente do que ela jamais imaginara.

Se Lori não tivesse vindo procurá-los, talvez Sophie tivesse ignorado o evidente remorso de Jake. *Você merece coisa melhor*, ele lhe dissera depois que a doçura daquele beijo a tocara bem no meio do coração, até chegar à alma. No mínimo, ela gostaria de ter tido tempo para convencê-lo de que tanto sua culpa quanto seu remorso eram um equívoco.

Ela quisera aquele beijo tanto quanto ele. E ambos eram adultos, maduros o suficiente para beijar quem quisessem.

De qualquer maneira, durante as próximas horas precisaria deixar o beijo de Jake de lado e se concentrar no que deveria: ter certeza de que a cerimônia de casamento de Chase e Chloe fosse absolutamente perfeita. Mais tarde, reviveria aqueles momentos em que todos os seus sonhos se realizaram, quando estivera nos braços de Jake e sentira como se o sol jamais fosse parar de brilhar, e quando parecera quase impossível que ele não desejasse nada mais além daquele beijo.

Sophie deixou que a risada dos convidados a aquecesse antes de ir em direção à grande mesa redonda que dividia com seus irmãos e as respectivas namoradas. Percebendo a expressão preocupada no rosto da mãe, que estava sentada com seus amigos íntimos, Sophie foi até ela.

— Foi um casamento lindo, não foi, mamãe?

— Foi — a mãe concordou. No entanto, os olhos de Mary não perdiam nada. — Você já trabalhou demais, Sophie. Vá se divertir.

— Eu estou me divertindo — ela respondeu à mãe. E estava mesmo. Beijar Jake McCann fora a maior diversão que já tivera na vida.

Nesse momento, Lori e Jake apareceram de braços dados, Lori rindo de alguma coisa que ele dissera e então dando-lhe um empurrão no ombro, forte o bastante para Sophie ter quase certeza de que ele estava escondendo uma ponta de dor por trás daquele sorriso.

— Diga ao Jake que precisa sair de trás daquele balcão também. Quero que ele comemore junto conosco.

A mãe nunca lhe perguntara sobre seus sentimentos em relação a Jake. Mas Sophie nunca fora capaz de esconder da mãe o que guardava no coração. Especialmente agora, quando os sentimentos pelo homem que roubara seu coração desde que era uma garotinha estavam cada vez mais fortes, a cada ano que passava.

— Sei quanto você adora dançar, e ele tem a altura perfeita para ser seu parceiro — Mary Sullivan sugeriu antes de beijar o rosto da filha.

Sophie sentiu os olhos se encherem de lágrimas. Obviamente que a mãe não havia comentado sobre sua maquiagem, seu cabelo ou sobre o vestido. Ela simplesmente conseguia ver, através de tudo o que estava por fora, o que acontecia por dentro da filha.

— Amo você, mamãe.

— Também amo você, querida. — Mary Sullivan beijou-a novamente. — Diga a seus irmãos para não falarem muita bobagem nos discursos.

As lágrimas prestes a cair deram lugar ao riso quando Sophie comentou:

— Será que seria muito ruim se eu dissesse ao Zach e ao Ryan que estão precisando deles do outro lado da cidade?

A mãe riu com ela ao imaginar que os irmãos nem por um minuto considerariam comportar-se e perder a oportunidade de contar alguma coisa chocante sobre Chase na frente dos convidados.

Sophie fez uma parada rápida para falar com Chloe e Chase.

— Está tudo bem até agora?

Chloe abraçou-a com força.

— É o casamento mais lindo do mundo. Mal posso acreditar que seja o meu.

— Obrigada, maninha — Chase falou. — Você é uma grande organizadora de casamentos.

Sophie não se deu ao trabalho de esconder um largo sorriso. Ela adorava Chloe e estava mais do que feliz por Chase.

— Se estiver tudo bem pra vocês, gostaria de prosseguir com os discursos.

Depois de concordarem, para deixá-los à vontade, Sophie caminhou até a mesa onde seus irmãos e irmã a esperavam. Antes que lhe perguntassem onde estivera na última meia hora, ela deu o microfone a Marcus.

— Você é o primeiro; depois, passe o microfone para o próximo. O Jake vai falar depois dos homens; a Lori e eu vamos por último.

Smith franziu o cenho ao olhar de Jake para ela. Sophie sabia que a família estivera prestando muita atenção nela quando caminhara de volta para o local da festa e que o menor indício de que algo tivesse acontecido com ela levaria seus seis irmãos a um ataque de fúria. Principalmente dado o seu novo visual para o casamento, sabia que já estavam suspeitando de alguma coisa. Ela sentou-se e deu um lindo sorriso para Smith, agradecida, quando Marcus levantou-se e todos os olhos se viraram para ele.

— Hoje é um grande dia para os Sullivan. — Os convidados pararam imediatamente de falar e concentraram a atenção em Marcus. — Tenho certeza de que algumas pessoas imaginaram que o dia em que um de nós diria "sim" nunca chegaria. — Quando os convidados riram de sua observação certeira, Sophie esforçou-se como nunca para não olhar para Jake, sentado ao lado de Lori do outro lado da mesa. — Agora que este dia finalmente chegou, tenho certeza de que não há ninguém que esteja surpreso.

Marcus deu as costas para os convidados e virou-se para Chase e Chloe.

— Chloe, mesmo que tivesse tentado, nunca teria conseguido encontrar uma parceira mais perfeita para meu irmão. — Os olhos da noiva já enchiam-se de lágrimas enquanto entrelaçava os dedos aos do marido. — Chase, estou mais feliz do que nunca por você. E tão orgulhoso! Nosso pai foi o melhor homem que já conheci e você sempre me fez lembrar tanto dele. Ele estaria orgulhoso de você, Chase, e adoraria você, Chloe, tanto quanto nós.

A voz firme de Marcus tremeu levemente na última palavra e ele olhou para o céu, ficando em silêncio por alguns momentos. Sophie podia sentir as pessoas emocionadas durante a festa. Do canto do olho, viu a mãe começando a chorar, mas sabia que, se olhasse para Mary, ela também se transformaria em uma poça de lágrimas. Smith apertou-lhe a mão e ela retribuiu com toda força, os dois apoiando-se um no outro enquanto Marcus continuava.

— Outra coisa da qual tenho absoluta certeza... — ele novamente fez uma pausa para sorrir para Chase e Chloe e virou-se rapidamente para olhar para cada um de seus irmãos e irmãs, antes de concentrar-se na mãe — ... é que ele está aqui conosco hoje.

A essa altura, Marcus tinha a mão sobre o coração e Sophie sabia por quê. Era exatamente nesse lugar que ela também guardava o pai. Ele falecera quando ela tinha só 2 anos, mas, ao longo do tempo, tinha ouvido tantas histórias sobre ele, e tinha cada foto dele memorizada, que sentia poder lembrar-se dele tão bem quanto qualquer um de seus irmãos mais velhos.

— Mal podemos esperar para conhecer a próxima geração dos Sullivan.

Então, vieram os aplausos e todos se levantaram para brindar não só a Chase e Chloe, mas também ao bebê que a linda noiva carregava. A mão de Chase pousou possessivamente sobre a barriga levemente arredondada de Chloe enquanto a beijava, e Sophie inclinou-se no ombro de Smith e cochichou:

— Eles são tão lindos juntos, não são?

Smith beijou-a na testa, então pegou o microfone da mão de Marcus. Ao ficar em pé, todos deixaram escapar um suspiro coletivo. Não só porque ele era um astro do cinema; Smith sempre fora uma presença marcante, sempre fora encantador, especialmente vestindo um fraque. Sophie tinha certeza de que toda mulher no casamento — comprometida ou não — estava pensando em como seria se Smith Sullivan olhasse para elas.

— Meus irmãos e irmãs adoram me dizer que eu vivo em um mundo de fantasia — ele começou com a voz que bilhões de pessoas no mundo teriam reconhecido de olhos fechados. — Não sei do que estão falando. Minha vida é perfeitamente normal.

As risadas se espalharam entre os convidados quando Ryan e Gabe balançaram a cabeça teatralmente.

— Uma coisa com a qual todos nós concordamos — ele continuou enquanto as risadas iam parando aos poucos — é que não há nada imaginário com relação ao amor entre o Chase e a Chloe.

Ah, meu Deus. Sophie sabia que seus irmãos tinham o coração mole. Mas será que já tinham deixado outras pessoas fora da família notar isso antes? Principalmente Smith, que tinha que se proteger das pressões da fama e dos estranhos que julgavam conhecer o verdadeiro homem, quando, de fato, não o conheciam.

No entanto, nesse momento, Smith, o irmão a quem tanto amava, era pura emoção. Se ele estava disposto a expor sua alma por alguns momentos como agora, Sophie sabia que não teria a menor chance de estar inteira quando o microfone chegasse às suas mãos.

— A vocês, para sempre.

Ao brindar aos noivos, todos levantaram as taças enquanto Chase cumprimentava o irmão com a cabeça e um sorriso em reconhecimento às lindas palavras que acabara de pronunciar.

Ryan era o próximo. Tirou o microfone de Smith e levantou-se. Qualquer uma das mulheres que ainda não tivesse entregue o coração a Smith se sentiria pressionada a se apaixonar pelo jogador de beisebol profissional. Sophie não conseguia se lembrar da última vez que vira Ryan e Zach vestindo smoking. Ambos tinham reclamado quando ela os informara de que os padrinhos teriam que usá-lo. Conhecendo os irmãos e sabendo que poderiam encantar qualquer mulher com quem tivessem contato, Sophie fizera questão de informar à empresa de aluguel de smoking que ficaria extremamente chateada se falhassem e dessem outras opções de trajes, em vez de smoking.

E estivera certa em manter o pé firme. Todos os seus irmãos estavam fantásticos, um cartão-postal da perfeição masculina. Sophie deu uma olhada para Lori, silenciosamente reconhecendo que as duas também não estavam tão mal assim. A mãe, Mary, era pura elegância em seu vestido longo de seda e renda coral claro, que combinava perfeitamente com seu tom de pele.

— Caras como eu tendem a ver a vida com um jogo. — Sophie podia perceber quanto as pessoas gostavam do jeito de Ryan. Ele sempre fora o mais relaxado e informal de todos. No campo de beisebol, não levava desaforos, mas, mesmo assim, fazia tudo parecer muito fácil. Tão sem esforço. A mesma coisa acontecia agora, enquanto observava os convidados com uma admiração tranquila. — Ajuda muito quando se percebe que alguns jogos vão ser melhores do que outros. — Ele deu de ombros. — Um ano atrás, se me perguntassem o que achava sobre o jogo do amor, diria para perguntarem para outro trouxa.

Os convidados gargalharam, surpresos, e Sophie teve que balançar a cabeça e rolar os olhos para Ryan, antes de ver o olhar e o sorriso da mãe. Eles já esperavam por isso, não esperavam? Era bom saber que algumas coisas eram certas na vida, ela pensou com um sorriso que não se deu ao trabalho de esconder.

— Mas acompanhei meu irmão e a noiva bem de perto, desde que se encontraram, e, mesmo para um cara como eu, não há como negar que, se a vida é um jogo, aposto que eles vão levar o troféu para casa. — Ele ergueu a taça para Chase e Chloe. — A vocês dois!

Sophie não podia acreditar que Ryan a tinha feito chorar. Esperava-se que ele dissesse algo cômico. Felizmente, pensou, Zach seria o próximo.

Zach sorriu ao tornar-se o centro das atenções, sabendo muito bem que nenhuma das mulheres na festa nem sequer lembrava mais dos nomes de Smith e Ryan. Quantas vezes as amigas de Sophie haviam dito que nunca tinham visto ninguém tão lindo quanto Zach? Tinha certeza de que muita gente tinha furado os pneus só por causa dele, só para ter a chance de ficar perto dele por alguns minutos.

Ele poderia ter sido absurdamente insuportável e arrogante. E, às vezes, Sophie tinha que admitir que Zach conseguia chegar muito perto das definições dessas duas palavras no dicionário. Mesmo assim, apesar de todas as provocações, ela não podia fazer outra coisa senão amá-lo.

— Que isso sirva de lição para todos aqueles que não estão em dia com a manutenção — Zach se dirigiu ao grupo. — Pneus furados e carros quebrados podem levá-los a algo absolutamente chocante. — Ele fez uma pausa de efeito, então baixou a voz: — O casamento!

Todos os convidados riram, e, mesmo estando quase a ponto de rir também, Sophie obrigou-se a dar um olhar sério para o irmão. Ele sorriu para ela, sem a menor culpa, antes de virar-se para a noiva e o noivo.

— Agora é sério; hoje é um grande dia e eu não poderia ter escolhido uma garota melhor para meu irmão. À Chloe, por ser corajosa o bastante para se amarrar com um Sullivan. — Ele ergueu sua taça e todos o seguiram.

Gabe fingiu dar um golpe em Zach ao puxar o microfone da mão dele, mas ficou imediatamente sério ao virar-se para Chase e Chloe.

— Minha vida toda eu me espelhei em você, Chase. Mas nunca mais do que hoje, quando teve a coragem de trocar votos de amor eterno com a Chloe.

Ninguém melhor do que Gabe para ir direto ao ponto. O irmão bombeiro sempre tivera uma vida de risco e coragem. Apenas alguns meses atrás, finalmente encontrara seu verdadeiro amor em Megan e na filha dela, Summer, dois corações e duas almas tão corajosas quanto a do irmão.

— Assim como sempre contei com vocês, quero que saiba que podem contar comigo. Qualquer coisa de que precisem, a qualquer hora, não hesitem em pedir; vou mover céu e terra para garantir que tenham o que precisam.

Chloe jogou um beijo para Gabe enquanto todos aplaudiam. Sophie sentiu-se mal pelos homens convidados, cujas esposas olhavam para eles com novas expectativas — agora muito mais elevadas — depois de ouvirem as palavras do bombeiro.

Sophie tentou se preparar para o momento quando Jake pegou o microfone para fazer seu brinde. Disse a si mesma para não olhar para ele muito tempo, mas também para não afastar o olhar muitas vezes. Ela precisava se comportar como todo mundo... em vez de alguém desesperada e irremediavelmente apaixonada pelo homem na frente de todos os convidados.

— Tinha 10 anos de idade quando conheci Chase Sullivan. Estava no quintal da casa dele e não me sentia muito bem-vindo.

Sophie esqueceu-se de agir normalmente. O que Jake estava fazendo? Com certeza, todos se apoiavam, isso era o que irmãos faziam um pelo outro. Jake sempre fora o mais reservado deles, mais até do que o próprio Zach. Sophie sentiu-se ainda mais apaixonada enquanto observava-o expor-se inesperadamente diante de centenas de estranhos.

— Até hoje consigo me lembrar da bola de futebol americano vindo do meio do nada e aterrissando bem na minha cabeça fraca.

Bastava um só olhar para o homem enorme na frente deles para se ter absoluta certeza de que nunca houvera nada de fraco com relação a Jake. Sophie arrepiou-se ao lembrar-se de seu corpo grande, forte e musculoso pressionando o seu enquanto a segurava.

— De alguma forma, consegui pegar a bola antes que me acertasse no meio dos olhos. — Sorrisos viraram gargalhadas quando Jake se virou para Chase. — Sua mira sempre foi certeira, amigão. Depois de ser testemunha da maneira como você e todo o restante desse bando de loucos acolheu um garotinho assustado há 20 anos, a Chloe vai ficar feliz em saber que escolheu passar o resto da vida dela com um dos melhores homens a quem já tive a honra de conhecer. Existe um ditado na Irlanda que parece ser bem apropriado para o dia de hoje:

"Se for cair, caia nos braços daquele que ama.
Se for roubar, roube-se das más companhias.
E, se for beber, beba nos momentos importantes da vida."

Sophie não conseguia tirar os olhos do rosto bem delineado de Jake, que levantava o copo da cerveja McCann especialmente preparada para a ocasião e que, para surpresa dela, fora distribuída a todos os convidados durante os outros brindes. Que ele tivesse planejado um brinde tão lindo a seu irmão e à nova esposa deixou-a embasbacada e comovida, assim como as palavras finais ditas por ele enquanto erguia o copo.

— A um desses momentos!

Ao levantar-se, Lori deu um sorriso atrevido. Colocando a mão sobre o quadril como se estivesse brava com alguma coisa, ela disse:

— Só pra vocês saberem, sempre achei que seria a primeira Sullivan a casar. — Ela caiu na risada, de alguma forma conseguindo ficar linda mesmo enquanto fazia biquinho. — E se alguém me dissesse que meu irmão mais velho ia passar na frente e roubar meu show, teria lembrado a ele que as irmãzinhas mais novas sabem muito bem como se vingar. — Ela piscou na direção de Chase.

Sophie teve que admitir que sua irmã gêmea sabia como conquistar a multidão. Era por isso que era uma coreógrafa tão fantástica. Lori entendia o que as pessoas queriam e tinha talento suficiente para dar isso a elas. Depois das emoções profundas de seus irmãos e de Jake, a sedutora jovialidade de Lori era exatamente do que todos precisavam.

— Ainda bem que meu amor por você, Chase, só não é maior do que minha felicidade por chamar a Chloe de *irmã*. — Ela levantou a taça para a noiva. — Seja bem-vinda à família, maninha. Estamos muito felizes por você se tornar oficialmente uma de nós!

O coração de Sophie começou a bater forte quando Lori caminhou elegantemente pelo salão para passar-lhe o microfone. Ela não se sentia muito à vontade falando em público; sempre contara com um bando de Sullivan carismáticos atrás dos quais podia se esconder.

A irmã gêmea a fez ficar em pé e empurrou-lhe o microfone, deixando Sophie sem opção senão pegá-lo antes que caísse no chão. Sophie sabia que estava parecendo um animalzinho assustado, com todas essas pessoas olhando para ela, esperando que dissesse alguma coisa linda e tocante como todos os que falaram antes dela.

Ah, não.

Ela não sabia para onde olhar, queria se enfiar em um buraco. Mas, então, ao pensar que fosse sufocar por não conseguir respirar fundo, olhou e sentiu os olhos de Jake sobre ela.

Você consegue fazer isso, ele parecia dizer a ela. E havia uma certeza tão grande naquele olhar resoluto que a Sophie não restava outra escolha senão acreditar, nem que fosse só o suficiente para fazer o discurso e sentar-se de novo.

— Oi. — Ela não estava acostumada a ouvir sua voz nas caixas de som e isso a deixou reticente, até travar o olhar em Jake mais uma vez.

Você não está com medo dessa gente, está?

Ela de repente lembrou-se de Jake olhando-a da casa na árvore que os garotos tinham construído, muitos anos atrás. Não tinha mais do que 6 ou 7 anos e suas pernas tremiam do mesmo jeito que tremiam agora; mas ela havia visto o desafio nos olhos de Jake e não se intimidou, escalando rapidamente a árvore, não deixando que o medo tomasse conta dela e a jogasse no chão. Ele não a parabenizara por ter chegado até a casa da árvore; provavelmente tinha feito algum tipo de piada sobre proibir a escalada de garotas no futuro... mas sabia que tinha ficado orgulhoso dela.

Sophie queria que Jake sentisse orgulho dela agora.

— Adoro casamentos — disse ela finalmente. — Grandes. Pequenos. Se for por amor e para sempre, é comigo mesma. Bem aqui. — Ela colocou a mão sobre o peito, então olhou para os irmãos. — Por ter crescido nessa família, nem sempre foi fácil ser uma romântica incurável. — Seus irmãos e irmã sorriam juntamente com o restante dos convidados. — Mas, quando estava quase curada disso — ela fez uma pausa e encarou Chase e Chloe —, vocês dois me fizeram acreditar de novo no amor. — Ela ergueu a taça para o casal. — Gostaria de fazer um brinde a meu amado irmão mais velho, Chase, e à minha mais nova irmã, Chloe, por escreverem uma das histórias de amor mais lindas que já vi.

Todos se levantaram mais uma vez, e ela não se deu ao trabalho de segurar as lágrimas enquanto sorria de felicidade ao lado do irmão e da noiva.

E, então, finalmente, chegara a hora de passar o microfone à mãe. Mary Sullivan beijou-a no rosto e sussurrou:

— Absolutamente perfeito, querida. — Então, pegou o microfone e olhou para o casal feliz. — Sou incapaz de contar quantas vezes as pessoas me disseram como deve ter sido difícil criar oito filhos, mas eu sempre achei que era a pessoa mais sortuda deste mundo. — Ela levantou a mão até a cabeça. — Mesmo tendo que começar a pintar os cabelos aos 30 anos para cobrir os brancos que pareciam surgir a cada minuto. — As risadas vieram misturadas às lagrimas e Sophie foi absolutamente tomada pelo amor que emanava do ambiente, envolvendo a todos em um aconchego. — Apesar de hoje estar dando as boas-vindas à Chloe em nossa família, ela conquistou meu coração desde a primeira vez que o Chase falou dela e ouvi o amor que ele sentia, mesmo por telefone. Amo vocês dois.

Conforme Sophie planejara, a música começou ao final do brinde de sua mãe. Smith puxou-a da cadeira para os braços dele. Seu irmão mais velho era um dançarino fantástico e ela sempre gostara de dançar com ele, desde garotinha, quando ficava descalça em cima dos sapatos dele, enquanto rodopiava com ela pela sala de estar.

Ela havia chorado mais nesse dia do que em anos, mas tinham sido lágrimas de alegria. Lágrimas de felicidade, de puro amor. Agora, estava rindo, sentindo-se tão leve, tão plena desse amor, enquanto rodopiava com o irmão, quase sem fôlego.

Especialmente ao aterrissar diretamente nos braços fortes de Jake.

CAPÍTULO SEIS

Jake nunca vira ninguém mais linda do que Sophie Sullivan. Se ficara encantado pela pureza das emoções dela durante a cerimônia de casamento, a reação dela aos discursos dos irmãos fora a coisa mais doce que ele jamais testemunhara na vida.

Mas era a risada dela enquanto dançava com Smith que o colocava no limite, diretamente no lugar aonde sabia muito bem que não deveria chegar.

Sophie era simplesmente irresistível. Não só por causa de suas curvas e de seu rosto maravilhoso, mas por algo que deveria fazê-lo seguir na direção oposta: ela não sabia como esconder seus sentimentos.

Jake jamais sentira outra mulher encaixar-se tão bem em seus braços. Quando a música ficou um pouco mais lenta e ela colocou a cabeça em seu ombro, precisou puxá-la para mais perto, teve que sentir o cheiro daquele perfume doce, uma mistura de champanhe com flores.

Jake podia sentir o olhar de Smith sobre ele, duro e ameaçador; porém, naquele momento, simplesmente não se importava se tivesse que pagar por suas transgressões com Sophie. Ela era muito gostosa, muito macia.

E, por enquanto, meiga demais para que pudesse encontrar uma maneira de soltá-la.

— Ah, Jake — ela murmurou no ouvido dele enquanto seguiam a música —, isso é tão perfeito.

Ele estava tão concentrado na pressão macia dos seios dela contra seu peito, na respiração dela no lóbulo da sua orelha, que não deu ouvidos ao contínuo alarme de aviso dentro da sua cabeça. Sabia o que deveria fazer; precisava se afastar, precisava deixar bem claro que "perfeito" nunca estaria nas cartas do jogo para eles.

Mas, Deus, tudo o que ele queria era roubar mais alguns momentos com a primeira, e única, garota que jamais olhara para ele com amor. Jake ficara surpreso ao perceber que os sentimentos dela não tinham mudado ao longo dos anos. Em vez disso, tinham crescido tanto a ponto de conseguir senti-los no beijo dela, na maneira como ela se agarrava a ele como se ele fosse um herói ao invés de um protótipo de vilão.

Sabia que não deveria, e, mesmo com frio na barriga pelo que estava prestes a fazer, obrigou-se a admitir:

— Você organizou uma festa maravilhosa. E fez todo mundo se envolver na fantasia "de felizes para sempre". — Ele colocou as mãos na cintura dela e tentou não pensar sobre quanto gostava e quanto ela se encaixava bem nele. — Mas isso é tudo. Só uma fantasia.

Sophie enrijeceu-se nos braços dele. No entanto, não retrucou tão rápido quanto ele gostaria.

— Jake, por favor, não precisa fazer isso. Sei que se preocupa com a maneira como minha família encararia nosso relacionamento, mas...

— Não temos um relacionamento, princesa. E não vamos ter.

Ela piscou diante das palavras baixas dele, o corpo enrijecendo-se ainda mais. Mesmo assim, não se desvencilhou dos braços de Jake.

— Sei que está tentando me afastar de você, mas está cometendo um engano. Nunca teria me apaixonado por você se não valesse a pena.

Tarde demais, ele percebeu o que fizera: levara Sophie a acreditar em uma mentira atrás da outra sobre ele ao longo dos anos. Deveria ter contado a verdade a ela há muito tempo.

— Já fiz coisas que fariam você passar mal de verdade — ele disse a ela. Não só as brigas nos becos quando era um adolescente, mas o fato de que havia ameaçado o pai bêbado com uma faca durante uma surra que poderia ter terminado muito mal. Além disso, tinha o segredo que levaria consigo para o túmulo e nunca contara a ninguém, exceto Zach, o irmão de Sophie. Nunca poderia cometer o erro de deixá-la chegar tão perto a ponto de descobrir tudo.

— Jake, não precisa ter medo de compartilhar seu passado comigo. Eu a...

— Nunca — ele teve que cortá-la antes que dissesse a palavra fatal. — Isso nunca vai rolar.

Colocou a mão na cintura dela e puxou-a de volta até Smith, que não havia tirado os olhos dos dois desde que começaram a dançar juntos.

— E aquela história de me ajudar a provocar ciúme no meu ex?

— Nós dois sabemos que não existe ex nenhum.

Ele esperou para ela insistir que havia, quase desejando que mantivesse a trama. Mas aquela não era a garota a quem conhecera praticamente a vida toda.

— Você está certo — ela disse baixinho. — Eu namorei alguém aqui, mas ele não é tão importante assim para mim. Peço desculpas por ter mentido a você. Não sabia como chamar sua atenção.

Por que ela não podia ser fria e calculista como as outras mulheres? O que ele deveria fazer com essa honestidade? Além de esmagá-la... juntamente com o brilho dos olhos dela que odiava ter que apagar.

O rosto de Smith estava duro feito granito quando Jake e Sophie saíram da pista de dança.

— Me desculpe por interromper sua dança, Smith. Preciso tomar conta do bar pelo resto da noite. Ela é toda sua.

Jake deu meia-volta e forçou-se a se afastar de Sophie, atravessando a horda de dançarinos, sem se importar em quem esbarrava à medida que seguia em direção ao bar. Mas o cheiro dela ainda estava nele, e não conseguia espantar o fantasma das curvas dela pressionando-o enquanto dançavam.

Não precisava olhar para trás para saber que Sophie estava olhando para ele com aqueles olhos grandes e lindos. Um dia ela perceberia que ele fizera a coisa certa — pelo menos uma vez na vida — afastando-se dela. Logo, logo ela encontraria o cara perfeito e todos eles estariam em pé fazendo um brinde ao amor verdadeiro, enquanto ela resplandeceria de volta para eles em um lindo vestido de noiva branco.

Smith parecia querer matar Jake.

E Jake desejou que ele fizesse exatamente isso... e acabasse com esse sofrimento de uma vez por todas.

Horas mais tarde, Sophie estava ao mesmo tempo exausta e triunfante. O casamento tinha sido perfeito e Chase e Chloe passariam a noite na casa de hóspedes antes de seguirem viagem em direção à costa da Tailândia, na manhã seguinte. A equipe da festa havia limpado quase tudo e ela, Jake e Smith eram os únicos que ficaram no local.

Ela sabia o que seu irmão estava fazendo: tomando conta dela, para ter certeza de que não faria nenhuma besteira com Jake e estragasse o que Smith pensava que o equilíbrio dos relacionamentos na família deveria ser. Se dependesse da vontade de seus irmãos, ela ainda seria uma virgem intocada.

Jake colocou o último engradado na parte de trás de sua van preta.

— Já terminei tudo aqui. Vocês ainda precisam de mais alguma coisa?

Ela não se deixou enganar pela maneira como ele referiu-se a ela como "vocês" e achou que Smith também não engoliu. O único tapando o sol com a peneira era Jake, e só porque estava desesperado para "fazer a coisa certa".

Não era à toa que todo mundo sempre dizia que os homens eram idiotas. Ele não seria capaz de enxergar "a coisa certa" mesmo que esta o acertasse no meio dos olhos... o que ela estivera a ponto de fazer com um dos saltos de seu sapato, quando o vira paquerando convidadas atraentes na festa de casamento.

— Sophie e eu damos conta, Jake.

— Ok, então. — Ele balançou a cabeça na direção deles. — Boa noite.

Ele saiu sem dar abraços ou apertos de mão em nenhum deles, e Smith imediatamente começou com:

— Sei que não quer ouvir o que tenho para dizer.

— Então não diga.

— Ele não é o homem certo pra você.

— Como pode dizer isso de um dos seus melhores amigos?

— É exatamente por esse motivo que *eu posso* dizer isso. — Smith alcançou a mão dela e, quando a fez olhar para ele, com a lua brilhando sobre as duas únicas pessoas que sobraram no vinhedo, não viu o astro de cinema que todos viam. Em vez disso, Sophie viu a figura paterna que a amara e cuidara dela em cada momento da vida.

— Melhor deixar ele para lá, Soph.

— Sei que ele já teve muitas mulheres, mas...

— Mais do que você jamais conseguiria contar, mas estou falando de algo muito mais profundo do que isso. — Ele passou a mão livre pelos cabelos. — Ele não vai corresponder ao seu amor.

As palavras de Smith ressoaram com a poderosa premonição de tragédia, de dor, de perda, e Sophie quase se assustou com a expressão no rosto do irmão.

Nesse exato momento, o telefone dele tocou, uma chamada urgente que o fez praguejar e puxá-lo do bolso.

— Que droga, é meu diretor na Austrália.

Smith era o produtor executivo de seu novo filme milionário, e ela sabia que tinha sido quase impossível conseguir essas horas para vir ao casamento. Mesmo assim, ele não tinha atendido ao telefone nem uma só vez durante toda a noite.

Ele virou-se de costas para ela enquanto respondia ao diretor:

— Não posso falar agora, James. Estou no meio de uma coisa importante; ligo de volta. Você sabia como ela era quando a contratou. Nós todos o avisamos. Vou para o aeroporto assim que amanhecer. Cuido disso assim que puder.

Quando Smith desligou o telefone, Sophie tinha ido embora.

CAPÍTULO SETE

— Pelo amor de Deus, o que está fazendo aqui?

Sophie estava parada na porta da frente da casa alugada de Jake, em Napa Valley, como se tivesse aparecido do nada.

— Vim ver você, Jake. Conversar, esclarecer as coisas. — O olhar dela recaiu sobre os lábios dele antes de murmurar: — E beijar mais um pouco.

Jake tinha pensado em Sophie cada segundo desde que se beijaram no meio das vinhas. Trabalhando atrás do balcão a noite toda, fora uma tortura vê-la dançando com uma fila interminável de homens. Saber que alguns deles eram antigos amigos da família não servira de empecilho para seu estômago se revirar e seus punhos se fecharem. Ele também era um velho amigo da família e olhe só o que queria fazer com ela: arrancar-lhe as roupas e possuí-la sem parar.

Esforçando-se para ignorar a maneira como seu corpo reagia à proximidade dela, Jake saiu da casa e fechou a porta atrás de si.

— Não há nada para conversarmos. Nada a ser esclarecido. E não vamos nos beijar. Nunca mais.

Depois daquele tom áspero, ela deveria ter ido embora. Em vez disso, chegou ainda mais perto. Perto o bastante para enlouquecer as células que ainda estavam funcionando na região sem sangue do cérebro dele.

— Jake, se me deixar entrar...

— Eu poderia estar na cama com outra pessoa.

Ela não pôde evitar o golpe das palavras duras dele, ao fazê-la lembrar-se de que ele especificamente escolhera não levá-la para a cama essa noite. Mas, em vez de recuar, ele a viu erguer os ombros e colocava o queixo para cima.

— Mas não está, está?

— Não. — Que merda, deveria estar. Isso mostraria a ambos que tudo de que ele precisava era um corpo quente e cheio de desejo, em vez de querer Sophie com aquela vontade que estava quase a ponto de deixá-lo maluco. — Mas isso não quer dizer que estava esperando você.

Os cantos dos lábios dela subiram levemente ao ouvir *esperando você*.

— Pare de tentar negar o que aconteceu entre nós, Jake. Não vai conseguir me convencer de que nossa ligação não é verdadeira.

Ela estava certa; as faíscas entre eles praticamente tinham colocado fogo nas vinhas. Convencê-la de que não a desejava não funcionaria; tinha que fazê-la tomar outro rumo.

Ele mataria qualquer um que pudesse machucar Sophie, nem que fosse só um fio de cabelo. No entanto, já sabia que levaria muito tempo até que conseguisse se perdoar por aquele beijo... e pelo que estava prestes a fazer com ela agora.

Só porque afastar-se dela era um mal necessário, isso não queria dizer que não era mal.

Passou os olhos pelo corpo dela, parando nos seios e nos quadris mais tempo do que deveria.

— Você é inocente demais pra mim, princesa. Por que não vai embora antes que aconteça alguma coisa da qual se arrependa depois?

Obviamente que era parte daquela inocência que o atraía, mas Sophie não precisava saber disso. Não quando ele tinha a missão de fazê-la ir embora antes que seu controle fosse por água abaixo.

No entanto, em vez de reagir ao sarcasmo dele, ela simplesmente sorriu.

— Uma das vantagens de ser uma bibliotecária é ter acesso infinito aos livros. — Ela lambeu o lábio inferior, devagar e propositalmente. — Todos os tipos de livros.

De repente, Jake não conseguia tirar da cabeça a imagem de Sophie debruçada sobre o Kama Sutra, usando seu cérebro maravilhoso para decorar todas as posições sexuais. Era errado; muito errado.

Mesmo assim, o corpo dele parecia achar aquilo impossivelmente correto.

— Ler sobre sexo não significa porcaria nenhuma, princesa. — Ele forçou uma fungada, odiando-se a cada palavra que saía de sua boca. — É o que você fez e o que topa fazer que conta. — Ele baixou o olhar de novo sobre os seios dela, absolutamente lindos.

— Eu topo qualquer coisa.

Ah, que inferno! Não era para ela dizer isso!

Jake nunca havia sido colocado contra a parede. Nunca se sentira tão desesperado, tão sem controle, nem mesmo com seu pai alcoólatra. Precisava retomar as rédeas da situação antes que aquela deusa diante dele o fizesse embarcar em uma viagem na qual não deveriam estar.

— Qualquer coisa, hein?

Ela assentiu, mas o rosto corou de novo, um rubor que desceu pelo pescoço até a curva dos seios que saltavam na parte de cima do vestido.

— Já disse a você — ela lembrou-o com a voz suave, porém firme. — Você não vai conseguir me mandar embora, não importa quanto tente. Você não me assusta porque conheço quem você realmente é.

Quem ele realmente era? Ele mostraria a ela quem era, com certeza.

— Quantas vezes você já teve os olhos vendados? E não estou falando de brincar de cabra-cega.

— Sei que não — ela retrucou.

— Quantas vezes, princesa?

Ela olhou-o diretamente nos olhos.

— Tem certeza de que quer mesmo saber?

Que merda, por essa ele não esperava. Sabendo que mal podia suportar a ideia de Sophie na cama com outro homem, antes que ela lhe respondesse, Jake tentou novamente com alguma coisa que ela provavelmente nunca experimentara antes.

— E sexo em lugar público?

A doce e *boazinha* Sophie Sullivan sorriu para ele.

— Defina público.

Jake respirou fundo, sentindo-se como se tivesse acabado de levar um soco no estômago. Ainda assim, tentou mais uma vez, uma última cartada para que Sophie visse o erro que estava cometendo com ele.

— Ok — ele disse entre os dentes, o mais relaxado possível —, então, quer dizer que você aprontou por aí. Mas você e eu sabemos que o que um cara como eu quer não é algo que uma garota como você queira dar.

— Quer apostar?

A última coisa que esperava é que Sophie fosse dizer de volta as mesmas palavras que tinha lhe dito antes de agarrá-la e beijá-la. Ele não deveria fazer isso de novo, não deveria estar a um passo de atirá-la contra a porta da frente e rasgar o vestido de seda para mostrar-lhe que faria jus a cada palavra que acabara de dizer.

— Não sou um amante gentil e carinhoso como os outros caras com quem você esteve antes. Se cometer o erro de dar um passo para dentro desta casa — ele avisou-a com uma voz dura —, não há volta.

Como se estivesse em câmera lenta, Jake viu Sophie alcançar o trinco da porta, virá-lo e dar aquele passo fatídico para dentro da casa. Ele ficou petrificado, não conseguia fazer nada senão olhá-la entrando cada vez mais, os quadris mexendo-se de um lado para o outro a cada passo que dava. Quando chegou à sala de estar, ainda na linha de visão da porta da frente, ela parou um momento antes de virar-se para encará-lo.

O rosto dela mostrava esperança, desejo e algo que parecia muito mais com amor quando alcançou o zíper lateral do vestido e começou a abri-lo.

Não.

Meu Deus, não.

Tinha que fazê-la parar agora mesmo. Mas, em vez de gritar pedindo-lhe que parasse de agir feito louca, em vez de dar as costas como se não fizesse diferença se ela tirasse a roupa na frente dele, Jake ficou paralisado novamente. Era como se ela tivesse jogado um feitiço sobre ele, um feitiço que não poderia ser quebrado caso precisasse perder um só segundo daquela revelação absurdamente maravilhosa.

Mais cedo, achara que ela não estivesse usando nada debaixo do vestido, mas não esperava confirmar isso pessoalmente. Em segundos, o vestido dela cairia e ele não teria condições de fazer a coisa certa.

— Sophie — o nome dela soou como um pedido trêmulo saindo dos lábios dele.

Um pedido para que ela parasse... e um pedido para que finalmente pudesse vê-la por inteiro.

Um pedido para ir embora... e um pedido para que prometesse nunca desistir dele, não importava o que acontecesse.

O zíper desceu até o final e ela segurou o vestido no lugar, com as mãos firmes. Os olhos estavam bem abertos, mas Jake não viu medo nem nervosismo neles.

Somente expectativa.

Um desejo forte o bastante para fazer páreo com a luxúria que o devorava por dentro.

Um momento depois, Sophie deixou o vestido cair no chão de madeira e ficou na frente dele usando nada além de um par de sandálias cor-de-rosa.

— Sou toda sua, Jake.

CAPÍTULO OITO

— Nossa! Como você é linda!

As palavras de Jake espantaram o frio da pele nua de Sophie momentos antes de a porta da frente bater e ela estar nos braços dele. Os lábios dele cobriram os dela, tomando-a, possuindo-a, marcando--a com um beijo como nenhum outro. As mãos dele lhe apertaram os quadris e, à medida que o beijo ficava cada vez mais fora de controle, puxara-lhe o corpo nu ainda mais para perto do corpo dele. Encaixou as pernas dela entre as coxas, o volume grosso atrás do zíper latejando e pulsando contra a barriga de Sophie.

Ela queria tocá-lo por inteiro, queria a prova de que aquele momento era real, não só um sonho do qual acordaria, frustrada e sozinha. Jake a segurava tão apertado que os braços dela pressionavam-lhe o peito duro feito pedra; no entanto, dava para espalhar as mãos sobre ele, para passar as pontas dos dedos sobre o peito dele por cima do fino algodão de sua camisa.

Mas isso não era suficiente para ela. Sophie estava desesperada por mais, por mais beijos dele e pela chance de escorregar-lhe as mãos sobre os ombros, pelo pescoço, para acariciar o contorno de seu lindo rosto. Quando ele começou a beijar-lhe o rosto, o queixo e, então, o sulco de seu pescoço, Sophie enroscou os dedos nos cabelos dele, então arqueou a cabeça para trás e pressionou os seios com mais força sobre o peito de Jake, que lhe beijava a pele.

E então — *ah, meu Deus, quanto tempo esperara por aquele momento?* — sentiu a boca de Jake escorregando cada vez mais para baixo, até a língua roçar o bico de um dos seios.

Ela nunca sentira nada assim antes, nunca soubera como era entrar em um raio e transformar-se em luz e chamas. As explosões começaram no fundo de seu estômago, bem embaixo, onde tudo latejava de excitação, esperando que Jake a possuísse selvagemente.

Arfando, pronunciou o nome dele, que, como resposta, tirou uma das mãos dos quadris e encaixou-a no outro seio, provocando-a, ao mesmo tempo em que escorregava a outra mão sobre o sexo dela. Sophie baixou o olhar e viu-o olhando para ela também, e, naquele instante, quando seus olhares se conectaram, Sophie ultrapassou a linha tênue que a mantinha sob controle.

Os olhos fecharam suavemente no momento em que ela se abriu para ele, os quadris instintivamente balançando para a frente e para trás sobre a mão de Jake enquanto era levada ao clímax absolutamente inesperado. O toque sensual, a quentura dos dedos dele dentro do lugar mais íntimo de seu corpo, ao mesmo tempo em que lhe abocanhava o outro seio, os pelos roçando a pele do peito de um jeito áspero e delicioso, transportaram Sophie a outro nível, de um prelúdio de prazer a um bis vindo de algum lugar desconhecido, parecendo nunca mais terminar.

As pernas de Sophie teriam desmoronado se Jake não tivesse passado um dos braços sob os joelhos dela e o outro em volta de sua cintura enquanto a levantava do chão. Ele não lhe deu nenhum tempo para pensar, tomando-lhe os lábios novamente, a língua dele invadindo-lhe a boca. E, à medida que ele a carregava pela sala de estar e pelo corredor, ela sentiu-se tão incrivelmente sexy, nua, nos braços dele, vestindo apenas suas sandálias de salto cor-de-rosa.

Ela ouviu-o chutar uma porta e, quando se deu conta, Jake a colocava sobre a macia colcha de veludo da cama. Com os lábios ainda sobre os dela, Sophie percebeu que ele já não a beijava mais, mas segurava-lhe os pulsos em uma das enormes mãos e levantava seus braços sobre a cabeça, mantendo-os firmes no lugar onde queria exatamente que ela ficasse.

Quando estava nos degraus na porta da frente, ela blefara, era óbvio: nunca tivera os olhos vendados antes; nunca tinha feito sexo em público. Não por ter medo dessas coisas, mas porque nunca encontrara o homem certo para fazer isso.

Até essa noite.

Até Jake.

Tentou enroscar as pernas ao redor dele, queria que ele a possuísse, que a fizesse dele, mas ele não a deixou tomar as rédeas, e, em vez disso, usou o corpo para fazê-la ficar parada embaixo dele.

Deliciosamente capturada sob os músculos fortes dele, Sophie observou aquela linda boca dizer:

— Me deixe amar você. — A boca dele chegou até a ponta da orelha dela, lambendo-a antes de mordiscar a pele sensível. — Tudo o que quero é amar você.

Amar.

Ele queria amá-la.

Os músculos dela se derreteram feito manteiga sob o toque carinhoso da mão dele passando-lhe pela lateral do corpo, dos seios até a cintura, nas coxas, e ela se abriu novamente para o toque suave daquela mão sobre seu sexo.

Jake levantou a cabeça para olhá-la enquanto cobria-lhe o sexo com a mão, a quentura dele misturando-se com a dela até o ponto de não saberem onde começava um e terminava o outro. Sophie teve que arquear os quadris para se encaixar nas mãos dele, buscando novamente o prazer que ele havia lhe dado minutos atrás.

— Assim, desse jeito — ele pediu enquanto Sophie cavalgava sobre a mão dele tentando desesperadamente voltar àquele pico maravilhoso. Seus músculos internos se apertaram e pressionavam os dedos que ele enfiava dentro dela, às vezes rápido e às vezes absurdamente devagar.

— Por favor, Jake — ela implorou, a súplica saindo de seus lábios espontaneamente.

— Qualquer coisa — ele jurou. — Faço qualquer coisa por você.

E então os lábios dele voltaram para os seios dela muito rapidamente antes de descerem um pouco mais, beijando e mordendo a pele firme de sua barriga. Em algum lugar em sua mente, sabia o que aconteceria; sabia que ele colocaria a boca no meio de suas pernas e sentiria seu gosto. Claro que já tinha fantasiado sobre como seria ter esse tipo de intimidade com Jake, mas nunca acreditara que isso pudesse acontecer.

Ele colocou as mãos na parte de dentro das coxas dela, separando-as gentilmente.

— Mostre para mim o quanto é linda. Me deixe sentir seu gosto doce.

Ninguém jamais falara com ela dessa maneira durante o sexo, como se ele fosse um homem faminto, e ela, a ceia a ser degustada.

— Linda. — Ele cheirou-lhe a carne excitada e ela tremeu. — Linda demais. — E então ele abaixou a cabeça, cada vez mais para baixo, até cobri-la, fazendo-a perder o controle, uma lambida lenta de cada vez.

Dessa vez, Sophie deveria estar preparada para o clímax, deveria saber que ele a deixaria com a cabeça girando, deveria ter sido capaz de absorver tudo e se agarrar às sensações de extremo prazer para, mais tarde, trazê-las à memória. Mas não teve a menor chance quando a barba eriçada dele se esfregou em suas dobras internas, sobre seus pelos escorregadios e úmidos. Jake chupou a pele excitada entre os grandes lábios e, quando se concentrou naquele ponto cheio de nervos, o corpo dela tremeu ao gozar para ele, o coração disparou quase a ponto de sair de dentro do peito. Seu grito de prazer ecoou pelo quarto, ressoando pelo teto alto e pelas janelas de vidro.

Quando os espasmos de prazer finalmente passaram, sem nunca irem embora completamente, Sophie sentia uma exaustão e uma satisfação profunda, que jamais experimentara em toda a sua vida. Seus olhos estavam pesados, tão pesados que, mesmo quando o colchão se mexeu sob o peso de Jake, não conseguiu abri-los para ver o que ele estava fazendo.

Em seguida, sentiu a cama se mexer de novo e sabia que ele estava de volta ali com ela. Ela o alcançou com os olhos ainda fechados. Mas, quando ele lhe agarrou as mãos e abaixou os lábios até ela, em vez de deixar que o tocasse, ela obrigou-se a abrir os olhos.

A visão mais linda do mundo esperava por ela.

Jake era um deus bronzeado e de formas perfeitas, ajoelhado entre as coxas de Sophie, a cabeça abaixada sobre as mãos dela, como se estivesse rezando. A cauda tatuada de um animal, que ela imaginou ser um dragão, lhe atravessava o peito, vindo desde as costas. Ela já tinha visto a faixa ao redor dos braços dele, quando estava de mangas curtas, mas nunca tivera a chance de admirar o trabalho artístico que mudava e pulsava conforme os músculos enrijeciam.

Essa noite ela não conseguiria focar nas tatuagens por muito tempo. Não quando ele estava absurdamente ereto, o membro já coberto por uma fina camada de látex. Por alguns minutos, não conseguiu tirar os olhos dele. Mal podia acreditar que algo daquele tamanho pudesse caber dentro dela.

Mas quando ele ergueu os olhos para ela, foi tomada pelo que viu nos olhos dele. Não só desejo, mas algo mais feroz.

Possessão.

— Não devia fazer isso. — Cada palavra saindo dos lábios dele era seca, entrecortada, cobrindo-lhe o rosto com emoções controversas. — Mas não consigo me afastar. Preciso possuir você, Sophie.

— Sim — ela implorou. — Me possua, agora.

Ainda balançando a cabeça, ele soltou-lhe as mãos e agarrou-lhe os quadris para puxá-la para mais perto. Quando estava bem perto dela, e Sophie esperava sem fôlego por aqueles momentos preciosos quando finalmente se tornariam um só, Jake parou e apertou-lhe os quadris com tanta força que ela sabia que teria manchas no outro dia de manhã.

E então ele a penetrou, tão forte e tão fundo que o nome dele saiu de seus lábios no grito de prazer mais profundo que ela jamais sentira. Ser possuída pelo único homem que sempre quisera de verdade era mil vezes melhor do que jamais imaginara.

Ela levantou os braços e colocou-os em volta do pescoço dele para lhe puxar o rosto para perto dela. Seus lábios se juntaram em um beijo desesperado, enquanto ele a penetrava, vez após outra.

— Amo você — Sophie sussurrou contra os lábios dele, fazendo Jake parar rápido e bruscamente, a mudança repentina de seu corpo tirando-a, literalmente, do ponto onde estivera desde o primeiro momento em que havia olhado para ele e o vira determinado a possuí-la. — Amo tanto você, Jake. — Não tinha mais medo de confessar isso a ele, principalmente quando ele já havia demonstrado, com seu próprio corpo, como se sentia com relação a ela, como a adorava.

— Sempre — prometeu em meio às ondas de prazer varrendo cada célula de seu corpo. — Para sempre.

Como se as palavras de amor dela tivessem rompido a barreira que o mantinha imóvel, Jake voltou à ação, penetrando-a com toda força, fazendo-a bater a cabeça na cabeceira acolchoada da cama enquanto explodia dentro dela, ao mesmo tempo em que os lábios pronunciavam o nome de Sophie.

De todas as coisas pelas quais Jake nunca se perdoaria, possuir Sophie daquela forma tão violenta estava no topo da lista. Ainda assim, mesmo com o ódio de si mesmo crescendo dentro dele como a infestação de um vírus, Sophie era tão macia, tão meiga enquanto dormia nos braços dele, que não podia deixar de sentir seu perfume, de se embebedar daquele calor.

Jake não era estranho a sexo. Desde adolescente, tinha saído com mulheres de todos os tipos, mas sexo com Sophie tinha sido muito mais do que ele jamais experimentara, tão mais do que somente sexo.

Ele praticamente a amara a vida toda. Na verdade, amava-a tanto que a apertou ainda mais só de pensar no que ainda estava por vir. Nunca deveria ter permitido que a visão de seu corpo nu maravilhoso lhe tirasse o controle, como acontecera. Mas quando ela havia descido o zíper do vestido e o deixado cair no chão, e ele finalmente recebera de bandeja tudo o que sempre desejara durante tantos anos, não conseguira lutar contra a besta dentro de si mesmo, que tanto queria Sophie.

Precisava de Sophie.

Ansiava por Sophie.

A luz da lua entrando pela janela era clara o suficiente para ver o rosto dela enquanto se mexia, a boca macia mostrando um sorrisinho satisfeito e feliz mesmo enquanto dormia.

O que não daria para ser digno de uma mulher como ela?

Jake tirou os braços de volta dela com cuidado e saiu da cama. Ela fez um som de protesto, uma ruga entre as sobrancelhas, e ele, por um momento, achou que ela fosse acordar e pegá-lo fugindo dali.

Abra os olhos, princesa — ele suplicava em silêncio.

Se ela o chamasse de volta para a cama, ele não hesitaria em voltar, possuí-la de novo e repetir, inegavelmente, aqueles que foram os melhores momentos de sua vida. Não só observá-la gozando do jeito mais lindo do que qualquer outra mulher sobre a Terra, mas também os raros momentos de paz que sentira enquanto a segurava em seus braços.

Em vez disso, Sophie se acomodou ainda mais nos travesseiros, enrolando os braços em volta de um e puxando-o mais para perto. O nó no peito dele estava tão apertado que mal conseguia respirar quando, sem fazer barulho, recolheu as roupas e fez as malas.

Era hora de ir embora. Estaria de volta à cidade em 90 minutos, provavelmente até menos, pois era muito provável que o seu fosse o único carro na estrada às 3 horas da manhã.

Porém, tudo o que Jake conseguia fazer era ficar parado no meio do quarto, olhando Sophie. Agora ele sabia como a pele dela era macia, como eram as curvas dela sob as mãos dele; ainda podia ouvir as arfadas suaves e os gemidos enquanto gozava para ele.

Assim como não conseguira impedir-se de se jogar em cima dela quando estava nua e se oferecendo a ele na sala de estar, agora também não conseguiu deixar de caminhar até a beirada da cama e se ajoelhar. Com uma gentileza infinita, passou a mão sobre os cabelos dela, depois sobre o rosto. Ela roçou a bochecha na palma da mão dele mesmo enquanto dormia, e Jake teve que fechar os olhos diante da pontada no meio do peito.

Um dia ela teria um marido e filhos. Ela pertenceria a outro alguém, alguém que pudesse amá-la e cuidar dela da maneira que merecia.

Mas, por algumas horas, ela lhe pertencera.

Sophie acordou no meio da cama grande à primeira luz da manhã, ainda capaz de sentir as marcas das mãos, dos lábios de Jake sobre sua pele. Tentou ouvir o som da água do chuveiro caindo, mas a casa alugada estava estranhamente quieta. Talvez, tentou dizer a si mesma enquanto se sentava na cama, ele tivesse saído para comprar *donuts*. Ele não poderia ter ido embora desse jeito, poderia? A noite anterior tinha significado alguma coisa, tinha certeza disso. Do contrário, ela nunca teria declarado seu amor por...

Os pensamentos se atropelaram, depois pararam completamente ao perceber que as roupas, os sapatos e a mala dele não estavam mais lá.

Ele tinha ido embora.

Sophie empurrou os lençóis e, nua, pisou no assoalho de madeira. O esplendor de Napa Valley apareceu diante dos olhos dela enquanto olhava fixamente pela janela do quarto, mas não conseguia ver nenhuma beleza.

Tudo o que via refletido no vidro era uma mulher que deveria saber que era melhor não amar um homem incapaz de retribuir esse amor.

Ele tentara afastar-se dela, tentara convencê-la a ir, mas ela tinha tanta certeza de que havia algo além daquele beijo. Algo maior do que só o desejo, uma conexão emocional mais profunda que jamais existira com qualquer outro homem. O tipo de amor que havia entre Chase e Chloe. Marcus e Nicole. Gabe e Megan.

Mas estava errada.

CAPÍTULO NOVE

Dois meses e meio depois.

— Gabe e eu estamos noivos!

As mulheres na sala de estar de Lori soltaram exclamações de surpresa enquanto pulavam para abraçar Megan. Sophie sorriu e seguiu o restante do grupo quando sua amiga, cheia de alegria, mostrou o anel de noivado de diamante que havia ganhado de Gabe. No entanto, mesmo com toda a felicidade ao seu redor, Sophie permaneceu apática, totalmente insensível enquanto a conversa animada acontecia ao lado dela.

Obviamente que ficava feliz pela amiga e por seu irmão. Estava absolutamente encantada que fossem em breve iniciar uma nova vida unidos como uma família, juntamente com Summer, a filha de 7 anos de Megan. Mas, nesse momento, Sophie não conseguia sentir muita coisa.

Lori pulou do sofá da sala e voltou da cozinha com uma garrafa de champanhe.

— Vamos comemorar! — Na outra mão, ela segurava uma garrafinha de suco de maçã espumante para Chloe, que estava mais linda do que nunca com sua barriguinha de grávida.

Lori encheu as taças de todas enquanto se sentavam. As cinco — Lori, Megan, Nicole, Chloe e Sophie — começaram a ter essas noites de "clube da Luluzinha" algumas semanas após o casamento de Chloe. Sophie adorava passar o tempo com um grupo de mulheres tão maravilhosas. Em tese, elas não combinavam muito: uma coreógrafa, uma contadora, uma pop star, uma artesã e uma bibliotecária. No entanto, tinham muitas afinidades.

— À Megan e ao Gabe!

Sophie ergueu a taça e, quando encostou os lábios para dar o primeiro gole, colocou-a de lado rapidamente. O líquido doce e borbulhante espirrou pela borda da taça e derramou sobre a mesa.

— Quando ele fez o pedido? — Nicole perguntou. — Queremos saber todos os detalhes, não é mesmo, garotas?

Megan enrubesceu.

— Na verdade, ele fez o pedido no casamento da Chloe.

Todas fizeram cara de surpresa.

— Mas isso foi, vamos ver, quanto tempo atrás? — Lori fez uma pausa para calcular.

— Dois meses e meio — Sophie respondeu, o número queimando em seu cérebro.

— Tudo isso? — Lori virou-se para Megan. — Por que não nos contou naquela noite?

— Não queríamos manter em segredo por tanto tempo, juro. — Megan olhou para Chloe. — O Gabe me levou até as vinhas e se ajoelhou. Ele me disse que estivera carregando o anel há semanas, que queria que tudo fosse perfeito quando fizesse o pedido. — Megan não conseguia esconder a felicidade. — Ele já tinha até perguntado à Summer se poderia ser meu marido. E o pai dela. — Ela se emocionou e deu uma risadinha ao mesmo tempo. — Esses dois já estão de segredinhos. Daqui para a frente, tenho que tomar cuidado — ela brincou, mas era evidente o quanto estava feliz, não só por encontrar o amor de sua vida, mas também por ter um verdadeiro parceiro e um pai para ajudá-la na criação da filha.

— Isso é tão ridiculamente romântico — Lori falou —, mas, mesmo assim, devia ter nos contado. Certo, Soph?

Sophie assentiu, esperando que seu sorriso parecesse natural.

— Certo.

— Era o seu dia — Megan disse a Chloe. — E também acho que estávamos gostando da ideia de manter o segredo entre nós durante um tempinho.

— Sem problema — Chloe comentou —, desde que nos conte no exato momento em que ficar grávida.

Sophie engasgou com a respiração. Os olhos imediatamente se encheram de lágrimas enquanto tentava voltar a respirar novamente.

— Me desculpe, o champanhe deve ter descido pelo lugar errado — ela se desculpou antes de saltar do sofá e ir em direção ao banheiro de visitas de Lori.

Dez semanas, dois dias e 15 horas; era esse o tempo que tinha passado desde aquelas horas nos braços de Jake, quanto ele tinha lhe dado mais prazer do que jamais imaginara ser possível... e então desaparecera no meio da noite.

Também fora exatamente o tempo que levara para se dar conta de que sua menstruação não tinha descido, mesmo acostumada a ter intervalos irregulares, principalmente quando estressada no trabalho. Mas desta vez...

Não, havia algo muito mais científico, e chocante, para sua menstruação estar tão atrasada.

Ela estava grávida.

Em pé, diante do espelho oval sobre a pia, Sophie olhava-se, tentando ver se já parecia diferente. Porém, os sulcos embaixo dos olhos, as maçãs do rosto mais salientes, nenhuma dessas coisas tinha a ver com o bebê crescendo dentro dela.

Não, aquilo era o resultado de nada mais complicado do que autopiedade.

Como isso tinha acontecido?, perguntara-se mil vezes nas últimas oito horas que se passaram desde que fizera mais de meia dúzia de testes de gravidez, cada um de uma marca diferente.

Claro que já sabia a resposta para isso. Jake tinha usado camisinha, ela se lembrava disso com clareza. Mas, evidentemente, havia uma razão para aqueles avisos nos pacotes dos preservativos.

Apesar do choque ao ver aquela linha azul vez após outra e a palavra GRÁVIDA no teste, e de sua vida virar de cabeça para baixo, Sophie não podia deixar de perceber o quanto aquilo era irônico.

Ela era a Boazinha!

A única vez na vida em que se permitira fazer algo insano, quando colocara seus limites de lado para possuir o que queria tão desesperadamente, acabava pagando por isso.

Ah, quantas mentiras tinha dito a si mesma, todas por querer tanto aquela noite com ele? A lista era ridiculamente longa, mas, de novo, obrigou-se a passar ponto por ponto, imaginando ser a maneira perfeita de lembrar-se da verdade.

Mentira: se ela amasse muito Jake, um dia ele também a amaria.

Verdade: ela poderia passar cada segundo do resto de sua vida cobrindo-o de amor e ele nunca a amaria. Ah, ele gostava dela, com certeza, assim como gostava do restante dos Sullivan. Mas amor era algo que Jake McCann jamais lhe daria. Ele mesmo tinha lhe dito isso com todas as letras.

Mentira: a única razão pela qual ele relutava em se apaixonar por ela era por ser muito amigo de seus irmãos.

Verdade: será que podia ser mais louca? Ele não tinha se apaixonado por ela. Simplesmente tomara posse daquilo que ela havia lhe oferecido, como qualquer outro cara: seu corpo nu e cheio de desejo.

Mentira: ele não achava ser bom o suficiente para ela, mas, uma vez que o convencesse de que era, viveriam felizes para sempre.

Verdade: Jake era um dos homens mais confiantes que já conhecera. Se alguma coisa podia ser ridícula, era pensar que ele seria feliz com uma bibliotecária *boazinha* e sem graça. Não que ele pensasse não ser bom o bastante para ela; ele simplesmente não a queria. Ponto final.

Mentira: aqueles beijos avassaladores e o sexo absurdamente fantástico significavam que ele também a amava.

Verdade: sexo não era mágica. Orgasmos não estavam ligados à emoção. E ela era uma tola patética por achar que fosse qualquer outra coisa além disso.

Mentira: ela poderia passar uma noite incrível nos braços de Jake e então voltar para sua vida normal sem mudar nada fora daquelas horas maravilhosamente perfeitas.

Verdade: tudo tinha mudado.

E, ainda assim, apesar da lista inegável de verdades diante dela, Sophie não conseguia parar de se lembrar da maneira como ele a olhara naquela noite. Será que tinha imaginado aquela feroz possessão? A emoção que ele não conseguira esconder? Ele tinha tocado mais do que seu corpo; ele tinha lhe tocado a alma.

Pare com isso, Sophie!

Precisava aceitar a verdade de que Jake McCann provavelmente olhava para todas as mulheres com quem dormia dessa maneira, e que as horas que passaram juntos não tiveram nada a ver com tocar a alma. Só as partes do corpo.

Ainda não conseguia acreditar que tinha feito uma declaração de amor a ele. Desde sempre.

Para sempre.

Ah, meu Deus! Queria se enfiar num buraco do chão do banheiro e nunca mais sair. Sophie Sullivan, uma idiota com estrelas nos olhos que a cegavam para a realidade. E veja só o que tinha lhe acontecido.

Estava grávida.

De um bebê de Jake.

Alguém bateu à porta.

— Está tudo bem com você?

Era Lori. Sophie rapidamente jogou água no rosto e deu descarga para parecer que estava usando o banheiro de verdade.

Abriu a porta com um sorriso falso.

— Não é muito legal essa história do Gabe e da Megan?

— Com certeza. — Mas Lori não sorriu de volta. — Preciso falar com você depois que todo mundo for embora, então fique por aí, ok?

Sophie imediatamente ficou preocupada que houvesse algo errado com sua irmã gêmea. Será que estava tão preocupada com suas próprias notícias apavorantes que não prestara atenção se Lori precisava de seu apoio?

A porta mal tinha se fechado nas costas das outras garotas quando Lori se virou para Sophie.

— Pode ir falando, maninha.

O copo de vinho que Sophie estava lavando na pia da cozinha escorregou de seus dedos e despedaçou-se sobre a porcelana branca. No passado, Sophie sempre fora a voz da razão, o ombro sobre o qual a irmã podia chorar.

Desta vez, tudo estava de cabeça para baixo.

Ela segurou-se na beirada na pia. Não iria chorar.

Não. Iria. Chorar.

No entanto, quando Lori chegou perto dela e colocou os braços ao redor de seus ombros, as lágrimas começaram a lhe escorrer pelo rosto, tão rápidas e espessas quanto a água ainda saindo da torneira.

Tudo aquilo que tentara segurar, com o qual tentara lidar sozinha, desmoronou dentro dela. Sophie sentiu-se como se estivesse quebrando de dentro para fora, como se estivesse prestes a se estilhaçar em mil pedaços, assim como o vidro no fundo da pia.

Seus soluços faziam seu corpo tremer tanto que, se Lori não a estivesse segurando, ela não poderia ter permanecido de pé. De algum modo, Lori fechou a torneira e fez as duas irem até o sofá, onde Sophie agarrou-se à sua gêmea querida com toda força. As brigas intermináveis do último ano acabaram em nada.

Tudo o que importava era saber que não estava sozinha.

Quando Sophie finalmente parou de chorar, o corpo totalmente exausto, Lori disse:

— Espere um minutinho — e voltou alguns segundos depois com um rolo de papel higiênico. — Me desculpe, isso é o melhor que posso lhe oferecer.

Era mais do que suficiente para Sophie assoar o nariz e secar o rosto.

— Uau. — Lori olhou para a irmã. — Você está realmente um desastre.

Sua gêmea, percebendo o que era horrivelmente óbvio, não deveria ter feito Sophie rir, mas ela não conseguiu segurar uma gargalhada.

— Acha mesmo?

Lori alcançou-lhe a mão.

— Você nunca ficou desse jeito. Está me deixando assustada.

— E você não é a única assustada. — Ainda que a palavra *assustada* fosse um patético e ridículo eufemismo de como se sentia nesse momento.

— O que o Jake fez a você?

Claro que Lori imediatamente descobriria o que — ou quem — era a razão do problema dela. Só que Sophie não poderia dizer: *Ah, sabe, não fez nada além da transar do jeito mais gostoso e sexy que se possa imaginar e depois me deixar sozinha no meio da noite, grávida... e completamente perdida sem ele.*

Ela abriu a boca para dar uma resposta à irmã, mas não saiu nada.

— Você esteve com ele, não esteve? Aquela noite, depois do casamento.

Sophie concordou. Pelo menos isso ela podia fazer.

— Como foi? Não, espere. — Lori ergueu a mão. — Esqueça que perguntei isso. Seria a mesma coisa que ouvir sobre a vida sexual de nossos irmãos. — Só que Jake não era irmão delas. Só porque praticamente crescera na casa da família não mudava o fato de que ele não era realmente um deles. — Vou assumir que foi maravilhoso.

Sophie sabia o que era esperado dela, então concordou novamente.

— Supermaravilhoso?

Sophie respirou fundo, finalmente respondendo verbalmente com um "sim". Mas os detalhes emocionantes daquelas poucas horas que passaram juntos, ainda que fossem importantes, tinham se perdido na paisagem assim que descobrira...

— Estou grávida.

Pronto. Estava dito. E, ah, se Lori pudesse ver a expressão de seu próprio rosto nesse momento.

— Espere aí. — Lori parecia mais chocada do que Sophie jamais a vira em 25 anos. — Achei que ouvi você dizer que está grá... — Ela balançou a cabeça. — Não consigo nem pronunciar a palavra, Soph.

— Não fico menstruada desde antes do casamento.

— Você tem se encontrado com ele em segredo todo esse tempo?

Sophie bufou.

— Está brincando? Foi uma vez só — uma vez espetacular —, e então ele sumiu no meio da noite. — Deixando-a sozinha no meio daquela cama enorme, naquela casa enorme nas colinas de Napa Valley, com nada em que se apoiar além de um travesseiro.

— Vou matá-lo. — Lori saltou do sofá e pegou o celular no balcão da cozinha. — Vou arrancar o coração dele pela garganta. Melhor ainda, vou garantir que ele nunca mais vai conseguir engravidar ninguém de novo.

Sophie agarrou a irmã um segundo antes de Lori conseguir encontrar o número de Jake na lista de contatos do telefone.

— Pare! Não pode ligar para ele! Ele ainda não sabe!

Os dedos de Lori se congelaram sobre o telefone.

— Ainda não contou para ele?

— Não. Não nos falamos mais desde aquela noite. Fiz os testes só hoje de manhã. — Sophie tirou o telefone da mão da irmã, à força. — Amo você por me apoiar, mas preciso resolver isso sozinha.

Ela estava longe de estar bem, mas, depois da longa crise de choro e de confessar a notícia à irmã, sentia-se melhor. Mais forte.

Quase como se fosse capaz de encarar Jake sem cair aos pedaços.

— Não posso acreditar nisso — Lori comentou. — E você passou um ano me perturbando para terminar com você-sabe-quem porque ele era "ruim para mim" e precisa só de uma noite para se meter numa grande enrascada.

Em outro contexto, isso poderia ter soado como se Lori estivesse se regozijando da desgraça alheia, mas Sophie sabia que não era isso. Era simplesmente Lori colocando em palavras a ironia da situação delas.

— Nunca achei que fosse acontecer uma coisa dessas comigo — Sophie confessou.

Ainda assim, uma voz no fundo de sua cabeça dizia: *Mesmo se soubesse como isso terminaria, teria feito da mesma forma. Teria dado tudo, qualquer coisa, pela chance de ficar com ele.*

— Sabe que isso poderia dar certo? — Lori falou do fundo do coração. — Talvez ele assuma a situação. Talvez vocês dois possam fazer isso dar certo. — Ela olhou para a barriga de Sophie. — Bom, quer dizer, vocês três, eu acho.

Sophie sabia que era melhor não acreditar nisso.

— Não quero que ele fique comigo por obrigação. — Ela respirou fundo, deixando o oxigênio encher seus pulmões e ajudá-la a recuperar as forças. — Quero amor.

Pela confirmação dos olhos de Lori, ela podia ver o que todos os seus irmãos já sabiam: Jake não acreditava no amor. Sophie podia tentar convencê-lo pelo resto da vida, mas seria um desperdício.

— Ah, Soph. — Ela fechou a cara. — Vou matá-lo de qualquer jeito. Assim que você der a notícia a ele.

Poderia ter sido muito mais fácil se Sophie pudesse colocar toda a culpa em Jake. Mas, mesmo agora, tinha que ser justa.

— Não foi só culpa dele. Armei tudo para fazê-lo dormir comigo. Ele não teve como escapar.

— Está brincando? — Lori soltou as mãos e pisou duro no chão de madeira, furiosa. — Como poderia ter armado tudo para fazer um cara como o Jake dormir com você? Você grudou os pés dele no chão e pulou em cima dele enquanto ele implorava para você parar?

Sophie estava mais do que feliz pela maneira como sua irmã sempre a fazia rir. Mesmo nos piores momentos.

— Você disse que não queria os detalhes — ela lembrou à irmã.

— Certo. Tá bom. Sem detalhes. Mas você não tem o tipo de experiência que ele tem com o sexo oposto. Seduzir você deve ter sido como tirar doce da boca de criança.

A palavra criança trouxe as duas de volta ao assunto mais importante naquele momento.

— Você vai ter um bebê, Soph. — Os olhos de Lori se arregalaram, admirados.

Sophie colocou as mãos sobre a barriga, mesmo sabendo que deveria haver alguma coisa apenas do tamanho de uma ervilha dentro dela. Foi exatamente nesse momento que se deu conta do que estava acontecendo.

Um bebê.

Mesmo aterrorizada, de repente, não podia fazer nada além de ficar muito feliz. Ela teria um garotinho ou uma garotinha com os olhos de Jake, uma criança que a deixaria exausta, se pudesse tomar como base a energia de Jake.

— Vou amar tanto essa criança.

Lori parecia a ponto de chorar.

— Todos nós vamos.

Ah, Deus. A família. Sua mãe. Seus irmãos. Ela não queria nem pensar no quanto eles ficaram furiosos com isso.

— Nem ouse contar a uma só alma.

— Mas...

— A ninguém, Lori. Jure por Deus, prometa que vai me deixar lidar sozinha com isso, com o Jake, do jeito que eu quero.

Lori fez uma careta.

— Ok — ela concordou, relutante. — Mas, não se esqueça: tem pelo menos sete pessoas apoiando você nisso. Seis com punhos enormes.

Sophie sorriu para a irmã.

— Obrigada, Lori.

— Ei — a irmã respondeu com um sorriso brincalhão. — Fico feliz que seja você e não eu.

Agora, sim, era a Lori malvada que ela conhecia e amava.

— Você quase chorou agora há pouco — Sophie disse.

— Chorei nada.

— Chorou, sim.

A tagarelice costumeira das duas ajudou Sophie a retomar um pouco mais seu controle. O suficiente para sair e decidir que se sentia suficientemente forte para fazer o que precisava se feito.

Estava na hora de contar a Jake que ele seria papai.

CAPÍTULO DEZ

Os números nas planilhas cobrindo a escrivaninha do *home office* se embaralhavam diante dos olhos de Jake. Assim como sempre tivera muita dificuldade para processar as palavras, sempre encontrara muita facilidade com os números.

Afastou-se da escrivaninha, sabendo que qualquer trabalho que fizesse agora teria que ser refeito pela manhã. A única razão para ter ficado em casa nesse dia era recuperar as forças por meio do trabalho. Mas, já que não estava conseguindo fazer nada, era melhor ficar em um dos pubs, trabalhando no balcão.

Pegou o celular sobre o balcão da cozinha e viu uma ligação perdida de Zach Sullivan. Durante dez semanas, ele havia mudado de rumo para evitar os Sullivan. Não conseguia encarar Zach nem Marcus nem Chase nem Gabe, sabendo o que tinha feito à irmã deles. Era o nível mais baixo a que tinha chegado, tão baixo que até agora não podia acreditar no que tinha feito. Todos os dias esperava acordar e descobrir que tudo não passara de um sonho... mas, toda vez que tentava dormir, tudo o que conseguia ver era Sophie e a expressão nos olhos dela quando dissera que o amava.

Para sempre.

Sabia que não era bem assim; sabia que ela, na verdade, não poderia amá-lo. Ela amava a versão fantasiosa de Jake McCann, aquela que provavelmente havia descrito nos diários desde a infância, quando ainda era uma garotinha com vestido rosa e maria-chiquinha.

Ela nunca o perdoaria pelo que fizera e Jake sabia que não merecia nenhum perdão, assim como sabia que a melhor coisa era que ela se mantivesse bem longe dele a partir de agora. Pois, agora que conhecia o sabor e a maciez dela...

Precisava ir para o pub, onde o barulho e o movimento distrairiam seus pensamentos sobre ela. Enfiou o telefone no bolso, pegou as chaves do carro e abriu a porta da frente.

Sophie Sullivan estava parada nos degraus em frente à porta.

— Ah, oi. Já ia bater.

— Que diabo está fazendo aqui?

Exatamente a mesma coisa que perguntara a ela quando tinha aparecido na casa alugada em Napa. Ele sabia que tratá-la de forma tão agressiva não ajudaria a melhorar a situação, mas era o melhor que conseguia fazer, já que só olhar para Sophie fazia as células de seu corpo se desmantelarem.

Ela parecia insegura e pouco à vontade. E cansada; pelo menos tão cansada quanto ele se sentia.

— Posso entrar?

— Você não se lembra do que aconteceu da última vez? — ele rosnou as palavras para ela, mas, mesmo ficando pálida e de olhos arregalados, Sophie não fez um só movimento para ir embora.

— Sim — ela respondeu baixinho. — É exatamente por isso que estou aqui para falar com você.

Jake não confiava em si mesmo perto dela. Como já esperava, só de olhar para ela de novo, um só olhar que fosse, e o desejo violento tomaria conta dele, a ponto de agarrá-la e prendê-la à sua cama.

Deus, ele era doente, mesmo agora, pensando em todas as maneiras de seduzi-la.

Boazinha.

Precisava se lembrar de que ela era dócil... e não aquela mulher naturalmente sensual que tinha se contorcido e gemido embaixo dele, desesperada por prazer; que, debaixo daquela fachada inocente, meiga e doce, era uma mulher atrevida que...

— Não tenho tempo para isso hoje. — A última coisa que queria fazer era magoá-la, mas, se ficasse, se ela o deixasse tocá-la de novo, ele só acabaria magoando-a ainda mais. — Preciso voltar para o pub.

— Uma pena — ela retrucou —, pois você e eu precisamos conversar. Agora.

Ela passou por ele, uma Sophie Sullivan determinada que ele, até agora, desconhecia.

Ao fechar a porta e virar-se para encará-la, Jake estava totalmente concentrado em controlar sua reação à beleza dela, ao seu perfume e ao desejo de puxá-la para mais perto de si. Estava tão concentrado em apegar-se ao seu controle quase inexistente que quase não entendeu as palavras seguintes de Sophie.

— Estou grávida.

A Terra parou de rodar, quase arremessando-o para fora. O cérebro dele tentou focar no que ela acabara de dizer, mas não podia compreender direito; não podia acreditar que tinha ouvido o que achava que tinha acabado de ouvir.

Ele olhou fixamente para a barriga dela, o suéter e a saia justos o bastante na cintura para ver que ela ainda estava sem volume.

— Provavelmente não vai aparecer nada até daqui a um mês.

Diante da ideia de ser pai, o pânico tomou conta dele. Nunca planejara ter filhos. Sempre garantira que algo assim nunca acontecesse.

— Tem certeza de que é meu?

Sophie sentiu-se como se Jake a tivesse arrastado e lhe dado um soco na cara, em vez de só ter feito uma pergunta.

— O casamento foi há dois meses e meio. — Ela estava visivelmente tentando se acalmar. — Você foi o único homem com quem dormi — fez uma pausa — ... nos últimos tempos. Não poderia ser de mais ninguém.

O pânico e o choque ainda agarravam-lhe as entranhas, mas não se sobrepunham ao instinto masculino primitivo de tomar posse de Sophie e do filho naquele instante.

Uma sensação de alívio tomou conta de Jake ao saber que ela era dele. *Só dele*.

Sophie suspirou fundo.

— Vim aqui dizer a você o que... o que aconteceu. Você tem o direito de saber, e não ficar se perguntado para sempre se minha garotinha ou garotinho é seu ou sua.

As palavras dela e a imagem que traziam quase o fizeram ficar de joelhos.

Uma garotinha. Ou garotinho.

Seu filho ou filha.

— Quando? — ele perguntou com um tom de voz ainda seco.

— Acho que estou de dois meses, então... no outono.

Jake nunca marcara o tempo a não ser por viagens de negócios ou férias... e surras, quando era criança.

— Já passou pelo médico? — De novo, as palavras dele foram ásperas, já que não conseguia controlar o instinto primitivo de tomar posse dela e do bebê. *Agora*.

Para sempre.

Ela ficou surpresa com a pergunta.

— Tenho um horário agendado para amanhã.

— Que bom — ele continuou, chegando mais perto, o brilho dela atraindo-o como sempre. Só que, agora, não sabia mais como lutar contra isso. — Vou com você.

— Alto lá. — Ela balançou a cabeça e deu um passo para trás, aumentado a distância que estava ficando cada vez mais curta. — Não vim aqui só para dizer que estou grávida. Vim também para dizer que não quero nada de você. E ninguém precisa saber que você é o pai.

— Até parece.

Ela ficou chocada com a reação dele, mas, apesar disso, não se mexeu nem um centímetro, mesmo quando ele continuou a diminuir a distância entre eles.

— Por que está dizendo isso? — perguntou. — Pensei que ficaria feliz em ouvir que não quero nada de você. Que pode continuar com seu estilo de vida sem compromissos.

As palavras *sem compromissos* enroscaram nos lábios de Sophie, parecendo uma maldição.

— Não vou deixar você ir embora, Sophie. E não vou deixar que diga à sua família, aos seus amigos, que um cara qualquer fez isso com você. — Ele colocou o dedo indicador no próprio peito. — Fui *eu*.

Sessenta segundos antes, ele tentara fazê-la admitir que não tinha sido ele. Mas, agora que a verdade estava lá, Jake estava desesperado para assumir esse filho.

E assumir Sophie também, dizia uma voz zombeteira dentro de sua cabeça. *Finalmente você vai ter tudo o que sempre quis. Mesmo não merecendo nada disso.*

— Sei que você provavelmente já se esqueceu de tudo o que aconteceu naquela noite, mas eu não. — A frustração de Sophie tinha se transformado em raiva absoluta. Era outro lado dela que ele nunca imaginara existir. — Você fugiu assim que conseguiu se esquivar, provavelmente já querendo escapar mesmo antes de ter ido embora. Nós dois sabemos que não tem nenhum interesse em ficar comigo. O fato de eu estar grávida não muda nada. Durante muito tempo quis que você me notasse. Que me visse. E você o fez, por uma noite. Mas, então, percebi que, mesmo tendo conseguido o que achava que sempre quis, não significou nada. — Ela balançou a cabeça. — O sexo foi ótimo, mas eu quero mais do que luxúria. Quero amor infinito. Quero aquele mesmo olhar que o Chase deu à Chloe quando prometeu ser dela para sempre.

Ele odiava a maneira como ela o olhava agora, sem nada daquela adoração de herói, nada da admiração verdadeira que costumava ter por ele.

Jake nunca se sentira um herói. Mas, diante dos olhos de pelo menos uma única pessoa, ele nunca fora um cafajeste completo.

Até agora.

A mágoa se derramava de cada palavra dita por Sophie. No entanto, não podia cuidar disso agora, quando havia outras coisas mais importantes para serem resolvidas. Ele nunca havia tido uma mãe e provavelmente estaria muito melhor se nunca tivesse tido um pai. Filhos não faziam parte dos planos dele, mas, já que não tinha o menor controle da situação, uma coisa era certa: não deixaria que *seu* filho perdesse a oportunidade de ter uma mãe *e* um pai.

— Agora que vai ter um filho meu, vamos nos casar.

Sophie ficou boquiaberta.

— Não escutou o que acabei de dizer?

Sim, ele tinha ouvido. Cada palavra forte e corajosa tinha a intenção de afastá-lo da vida dela.

— Podemos chegar a Vegas em algumas horas e resolver isso.

— Não vou me casar com você, Jake — ela respondeu, e então balançou a cabeça, confusa. — De todas as pessoas neste mundo, a última de quem esperava esse tipo de reação era você.

Por que ela não entendia que a criação dele era exatamente a razão pela qual fazer parte da vida de seu filho era tão importante para ele? Só porque estava grávida de um filho que ele não planejara não mudava o fato de que ele não o deixaria crescer sem conhecer o pai.

— Você está grávida de um filho meu. — Ele alcançou-a, colocando as mãos sobre os ombros dela antes que pudesse se afastar ainda mais dele. Esta seria sua última chance de tomar posse de tudo que sempre quisera. Não só Sophie, mas também uma família. — Meu filho, Sophie. Não pode tirar isso de mim.

— Não — ela concordou, tensa sob as mãos dele. — Não faria isso com você.

— É exatamente com isso que está me ameaçando.

Ela balançou a cabeça, mas não tentou se desvencilhar dos braços dele.

— Não, juro que não. Só estou tentando manter sua liberdade.

— Que se foda a liberdade!

Ela recuou diante do palavrão e Jake quase praguejou de novo quando a ideia de perder Sophie por si só já lhe dilacerava as vísceras. Mas perder o filho também?

Nem pensar.

O desespero de Jake para manter os dois superava tudo.

— Uma semana.

— O quê?

— Preciso de uma semana para convencer você a casar comigo.

— Você realmente acha que pode me convencer a casar com você em sete dias? Deve ser a pessoa mais arrogante e egoísta... — Ela parou no meio do insulto, claramente tentando retomar o controle. Respirou fundo. — Olhe, se quer fazer parte da vida do seu filho, saiba que não vou manter a criança longe de você. Mas você e eu sabemos que não precisamos nos casar para sermos pais presentes. Não entendo por que está agindo dessa maneira... ou como pode possivelmente imaginar que vou concordar com suas ordens.

Porque só algumas horas com você nos meus braços foi tão bom que mal consigo me lembrar de como era minha vida antes de você. Só sei que não era nada boa.

Durante a infância e juventude, o bairro de Jake sempre fora barra-pesada o bastante para que aprendesse rapidamente a fazer o que fosse preciso para garantir sua sobrevivência. Certo, errado, nada disso importava quando sua vida estava em jogo.

Desta vez, três vidas estavam em jogo — a dele, a de Sophie e a do filho deles — e ele lutaria de qualquer maneira por eles.

— Foi você quem veio até minha casa em Napa e tirou a roupa. — Ele deixou a lembrança de quem seduzira quem pairando no ar antes de continuar. — Você me deve pelo menos sete dias.

Sophie olhou longamente para ele, o suficiente para que Jake percebesse que a tinha exatamente onde queria. Finalmente.

— Se eu disser sim, ao final dessa semana você vai concordar em fazer isso do meu jeito?

Não. Ele nunca conseguiria fazer isso; nunca, nem em um milhão de anos ele seria capaz de não assumir seu filho ou a mãe dele. Mas não ajudaria nada se ela entrasse na situação tendo consciência disso.

Sabendo que precisaria de uma semana para fazer a mágica funcionar, ele concordou, só mais uma mentira a ser adicionada no topo da pilha. No entanto, ele ainda não tinha terminado o jogo sujo, não quando sabia que usar a conexão sexual que tinha era a melhor chance de fazê-la mudar de ideia. Mesmo se queimasse no inferno por causa disso.

— Ir para a cama faz parte do acordo, Sophie. Não é negociável.

— Mas é claro que sim — ela retrucou, chocando-o novamente. — Vamos fazer um monte de sexo durante uma semana e então você vai embora de novo e eu vou ter que lidar com o resto da minha vida. — Ela deu de ombros, como se não estivesse nem aí.

Tarde demais, Jake percebeu o erro que acabara de cometer. Ao final de uma semana, Sophie usaria o sexo fantástico que teriam para provar que aquilo era tudo o que existia entre eles. Ele nunca tivera que provar o contrário a uma mulher, nunca quisera fazer isso.

Era uma situação delicada, especialmente considerando, sabia agora, que não adiantava não querer tocá-la. Ele mal conseguiria aguentar mais sete minutos, quanto mais sete dias, sem fazer amor com ela de novo.

— Então estamos quites?

— Tudo bem. — As palavras saindo da boca dela tinham um tom de irritação. — Vou lhe dar sete dias, mas não pode contar a ninguém da minha família sobre nós. Nem sobre o bebê.

Fazia sentido ninguém saber de nada, pois, se soubessem, os irmãos dela o perseguiriam até a morte.

— Alguém mais sabe, além de nós?

— Só a Lori. Ela quis fazer coisas terríveis com você quando descobriu. Ainda quer, para falar a verdade.

Seria definitivamente mais fácil convencê-la em sete dias se a família dela não interferisse constantemente nas coisas, especialmente se os irmãos dela não o deixassem engessado dos pés à cabeça. No entanto, Sophie não querer contar algo tão grande, tão importante à família que significava tanto para ela, não parecia certo para Jake.

— Você está diferente. — *Brilhando*. — Sua mãe vai bater os olhos em você e vai saber.

O rosto dela empalideceu de novo.

— Ah, meu Deus, tem razão. Não vou vê-la. — Ele podia perceber Sophie tentando convencer a si mesma de que estava fazendo a coisa certa. — É só uma semana.

Os sete dias que ela prometera a ele começaram a passar como o tique-taque de uma bomba-relógio, rindo-se dele enquanto tentava encontrar uma maneira de desativá-la antes que detonasse. Conversariam com a família dela mais tarde. No momento, tinha que convencer a mãe de seu filho.

— Já comeu?

— Hoje de manhã.

Era tarde, muito além da hora em que deveria ter jantado.

— Agora precisa pensar em mais alguém além de você mesma.

— Está me acusando de fazer alguma coisa que fizesse mal...

Ele a interrompeu.

— Não. Só quero ter certeza de que se alimente. Sente-se — ele pediu, apontando para um dos banquinhos. — Vou fazer o jantar para você.

— Achei que precisassem de você no pub — ela comentou, jogando as palavras de volta na cara dele. Ela virou-se e foi em direção à porta.

Jake não pensou duas vezes antes de esticar o braço e puxá-la contra ele. Sabia que a última coisa que ela queria era que ele a segurasse, mas Sophie pertencia aos braços dele.

— Os sete dias começam agora.

CAPÍTULO ONZE

Algumas coisas pareciam muito estranhas a Sophie, como o fato de, depois de todos esses anos desejando, querendo e sonhando, estar finalmente sentada na cozinha de Jake.

Ele fazendo o jantar.

Ela grávida.

Dele.

Sem dúvida, havia sido abduzida para dentro de Além da Imaginação.

As luzes da cidade, vistas do *loft* no terceiro andar do que um dia fora a parte industrial da cidade, eram espetaculares. No entanto, ela não conseguia tirar os olhos de Jake.

Para um homem solteiro, tinha uma geladeira surpreendentemente cheia e parecia saber o que estava fazendo com as cenouras, batatas e cebolas. Sophie estava zangada pelas ordens neandertais dele, mas precisava comer. E não tinha problema nenhum em deixar que alguém a servisse num dos dias mais turbulentos de sua vida.

Obviamente que, só porque o grande e perigoso Jake McCann estava irresistivelmente atraente fazendo o jantar para ela, Sophie sabia que não deveria tirar conclusões apressadas sobre o que ele estava fazendo, ou confundir a preocupação pelo bem-estar do bebê com a preocupação com ela.

Agora que sabia que seria pai, podia perceber que tudo o que ele queria era uma criança com saúde. Ela não tinha a menor dúvida de que ele não pensaria duas vezes para tomar medidas drásticas para alcançar seus objetivos, como amarrá-la e forçá-la a comer refeições saudáveis.

Ah, e a parte de amarrá-la parecia uma ideia tão boa...

— Está com muito calor? Muito frio?

— Estou bem — ela disse em uma voz seca.

— Você tem ficado...

O homem mais seguro que já conhecera, de repente, parecia não saber o que dizer. *Que droga!*, Sophie disse a si mesma, *isso não é para ser nem um pouco charmoso.*

— Tem ficado enjoada?

— Não. Geralmente só me sinto cansada. — *Mas pensei que fosse porque toda vez que tentava pegar no sono acabava pensando em você.* — E foi por isso que não percebi que estava grávida, até hoje.

— Que bom — ele respondeu em voz baixa enquanto completava o copo de suco na metade e colocava um prato de pão com manteiga derretida na frente dela antes de ir para trás do fogão. — Fico feliz que esteja se sentindo bem.

Era difícil não se lembrar de que ele, na verdade, não se importava com ela, quando estava sendo tão carinhoso. Como conseguiria manter a guarda durante sete dias?

Para começar, como ele tinha conseguido que ela concordasse com essa história de uma semana?

Sophie ainda não tinha certeza, apesar de achar que nunca esqueceria a expressão no rosto dele quando lhe dissera que não queria nada dele e que cuidaria sozinha do bebê, sem nem mesmo colocar o nome dele como pai da criança.

Por um momento, Jake parecera perdido. Depois, bravo. E, então, determinado.

Talvez devesse ter vindo mais preparada para a reação dele, mas nunca esperara que ele quisesse um bebê. Especialmente um bebê dela. E, sinceramente, ainda não entendia por que ele queria tanto isso. Jake era um solteirão convicto; sua vida noturna não combinava com a dinâmica familiar.

Amanhã, depois de boas oito horas de sono, ela se forçaria a encará-lo novamente e exigir uma resposta. Esta noite, porém, não sabia nem se seria capaz de ficar acordada durante toda a refeição.

— Não acredito que saiba cozinhar. — A declaração simples saiu cheia de veneno, mais do que ela jamais imaginara ter dentro de si. Sophie não conseguia entender como podia amá-lo e odiá-lo ao mesmo tempo, mas era isso o que sentia.

Jake deu-lhe um meio-sorriso, mas não aquele sorriso zombeteiro com o qual estava acostumada. Havia algo diferente, como se ele estivesse um pouco envergonhado por ser pego fazendo algo fora do estilo machão.

— Tive que aprender, quando o cozinheiro ficou doente e não tinha mais ninguém que soubesse cozinhar.

— Nunca imaginei que fosse tão difícil ter um restaurante — ela comentou, achando que ele estava falando sobre a compra e a administração do primeiro pub irlandês McCann's.

— É — ele continuou —, foi complicado reconhecer que a administração do McCann's dependeria totalmente de mim. Para o bem ou para o mal, a culpa seria minha, mas não foi nessa ocasião que aprendi a cozinhar. Tinha 10 anos. Meu pai trabalhava no balcão do bar. Eu ficava no fundo, lavando pratos para ganhar uns trocados. O cozinheiro estava bêbado demais para dar conta dos pedidos; desmaiou e os clientes começaram a reclamar com meu pai. Ele me mandou cozinhar. — Jake passou os legumes para um prato, então fatiou o assado de porco que havia aquecido no prato ao lado. — E aí fui lá e cozinhei.

Há quanto tempo Sophie não desejava saber algo desse tipo sobre a vida de Jake? Há quanto tempo não sonhava estar próxima o bastante para poder ouvir suas histórias de infância? Agora que esse momento finalmente chegara, estava muito brava com ele. Muito brava, e muito cansada, para conseguir apreciá de verdade.

Ele colocou o prato na frente dela, e o cheiro estava maravilhoso.

— Prato típico irlandês. — Havia um tom defensivo no tom de voz dele. — É o que sei fazer de melhor.

Ele estava totalmente enganado, ela pensou. A comida parecia deliciosa, mas já sabia qual era a especialidade dele. E, apesar de envolver muito calor, a cozinha não era a localização preferida... e havia muito menos roupa envolvida.

"A cama não é negociável."

Várias vezes as palavras anteriores dele se reprisaram na mente de Sophie, reverberando por seu corpo, trazendo cada célula à vida, alerta de tanto desejo, apesar de ela estar exausta. Ela já aceitava que sete dias perto de Jake tornariam impossível controlar seus hormônios. Especialmente porque ela sabia *exatamente* quanto prazer ele podia lhe dar.

No entanto, desta vez Sophie sabia que era melhor proteger seu coração. Independentemente de qualquer coisa.

Por sorte, o ronco do estômago tirou-lhe a atenção do quanto a cama dele estava perto. Ela pegou a faca e o garfo.

— Obrigada pelo jantar.

Não foi o melhor dos agradecimentos, mas era o que podia fazer naquele momento. Jake teria que aceitar aquilo mesmo. Porém, quando deu a primeira mordida, não conseguiu impedir o gemido de prazer que saiu de seus lábios.

— Gostou?

Ele estava sorrindo e, quando ela o olhou, quando viu aqueles olhos negros fitos nela daquela maneira, parecendo tão felizes em poder agradá-la, perdeu o controle do pensamento... perdeu controle de tudo, exceto do desejo abrupto e desesperado de sentir os lábios dele sobre os seus de novo, possuindo-a, tomando posse dela do jeito que tinha feito durante aquela linda e única noite juntos.

Não ajudou em nada quando o sorriso dele mudou, mostrando um olhar intenso e cheio de volúpia que, tinha certeza, espelhava exatamente o que ela mesma sentia.

De alguma forma, Sophie conseguiu recompor-se o suficiente para dizer:
— Está ótimo.

Deu uma nova garfada, achando que, se mantivesse a boca cheia, seria capaz de manter seus lábios focados em algo além da vontade de sentir os lábios de Jake pressionando-os novamente.

— Ótimo. Tem mais, caso queira.

Ela franziu a sobrancelha.

— Espere aí. Não vai comer um pouco?

Ele balançou a cabeça.

— Já comi mais cedo.

— Ah.

Ele realmente tinha feito tudo isso para ela. Nenhum homem jamais cozinhara para ela.

Mas, também, nenhum homem também jamais a engravidara antes. Ela achou que preparar uma refeição era o mínimo que ele poderia fazer.

Sophie estava com tanta fome que nem se importou que ele ficasse ali assistindo. Ela nunca fora daquelas garotas chatas com comida.

Seus quadris e seus seios eram uma clara evidência disso, apesar dos muitos metros que nadava todos os dias. Lori era bem mais magra, por dançar muito e por sua agenda de coreógrafa.

Algum tempo depois, já satisfeita, ela percebeu que perderia a batalha para manter seus olhos abertos. Abaixou a faca e o garfo e deu um bocejo grande e longo.

— Está cansada.

Jake, ela percebeu, não desperdiçava palavras. Porém, antes que pudesse fazer algo além de concordar com a cabeça, ele passou os braços em volta da cintura dela e tirou-a do banco.

Seu cérebro e seu corpo imediatamente voltaram a Napa, quando ele a pegara, nua e desesperada por ele.

— O que está fazendo? — Sophie não conseguia esconder o pânico entrelaçado a cada palavra.

Ele não parou de andar.

— Levando você para a cama.

A respiração dela parou no peito. Mesmo desejando-o tanto quanto desejava, não poderia fazer sexo com ele nessa noite. Não quando se sentia tão cansada e tão fraca, sem nenhuma das barreiras que deveriam protegê-la.

O que aconteceria se baixasse a guarda? Qual parte de seu coração, ou, pior ainda, de sua alma, terminaria entregando a ele de bandeja?

— Jake, o jantar estava fantástico, mas preciso ir para casa agora.

— Não. — O quarto dele era grande e bem masculino, exatamente como ele. — Sete dias, Sophie. Você me prometeu uma semana. — Ele mexeu-se para tirar-lhe os sapatos e ela ficou tão surpresa com a gentileza que resolveu não falar nada.

— Sei disso — ela respondeu quando a voz voltou. — Mas pensei que seriam encontros, que nos veríamos por algumas horas depois do trabalho.

— Quero você aqui. Comigo.

Era tudo o que queria que ele dissesse, e, mesmo assim, as palavras saindo dos lábios dela foram:

— E se eu não quiser ficar aqui?

Ele olhou para ela, ajoelhado em frente aos pés descalços, os olhos impenetravelmente negros.

— Então eu fico com você na sua casa.

Ela engoliu em seco, repentinamente percebendo as intenções dele e com que tinha acabado de concordar.

Não só sete dias, mas também sete noites.

Ai, meu Deus.

Ele levantou-se e foi ao banheiro, voltando em segundos.

— Tem uma escova de dentes nova ao lado da pia. Volto logo.

Sophie sabia que podia tornar a colocar os sapatos e ir embora, que não precisaria ir ao banheiro e escovar os dentes antes de se enfiar na cama dele. Mas também conhecia Jake muito bem para saber que, se fizesse isso, ele a seguiria.

Ele não se importaria em bater à porta do seu apartamento, tão alto que acordaria toda a vizinhança, até que ela o deixasse entrar. Principalmente quando estava nesse estado incrivelmente possessivo, querendo tomar conta da vida dela, obrigando-a a jantar. Sophie poderia estar com apetite para comer um cavalo, mas não queria ninguém lhe dizendo o que fazer.

Especialmente Jake.

No entanto, a maior loucura de todas era que, em vez de estar furiosa com esse comportamento dominador dele, ao mesmo tempo, também estava muito excitada. Tanto que não conseguia impedir-se de sonhar acordada sua fantasia favorita, aquela onde os músculos firmes de Jake a prendiam na cama enquanto ele a olhava, dizendo o que faria com ela. E ela enlouquecia, querendo que ele cumprisse as promessas.

Ela levantou-se da cama e foi até o banheiro.

— Idiota, idiota, idiota — praguejou durante o percurso inteiro pelo carpete até o chão de cerâmica.

Sua estupidez já a havia envolvido nessa confusão; não precisava aumentá-la ainda mais concordando com esse jogo de sete dias de "deixe-me convencê-la de que estarei lá para você e o bebê". Especialmente com um cara que mantinha escovas de dentes extras à mão, obviamente para uma horda de mulheres.

Zangada consigo mesma, ela escovou os dentes com tanta força que era capaz de ter arrancado a primeira camada de esmalte, então lavou o rosto. Ele não lhe ofereceu nenhum pijama e ela, definitivamente, não iria nua para a cama.

Ele não adoraria isso?

Pelo menos, pensou com certo conforto, Jake não mantinha pijamas de mulheres em casa, junto com as escovas de dentes. Ela nunca remexera nas coisas dos outros antes — Lori era a bisbilhoteira da família —, mas não se sentiu nem um pouco mal abrindo o guarda-roupa de Jake para procurar uma camiseta. Odiava dormir de sutiã, mas precisava de alguma coisa para cobrir-se, no lugar do algodão branco que estava vestindo.

Encontrou uma camiseta preta e, enquanto tirou rapidamente a saia, o suéter e o sutiã, tentou não prestar atenção ao fato de que a camiseta tinha o cheiro de Jake. Um cheiro fresco e másculo que penetrou-lhe as narinas, subindo diretamente até cérebro.

Ao ouvir passos, Sophie jogou-se na cama dele, debaixo dos cobertores, e surpreendeu-se com o colchão deliciosamente confortável. Pelo que podia ver até agora, Jake evidentemente comprara tudo do bom e do melhor. Não conseguia nem imaginar o quanto uma cama como aquela devia ter custado.

Ah, mas valia cada centavo.

Sophie não achou que fosse conseguir dormir na cama dele, nem por um momento. Mas era tão confortável, e ela estava tão cansada.

Antes que pudesse perceber, o cérebro de Sophie desligou-se e ela apagou.

—ᴡ—

Jake ficou parado na porta, tão embevecido pela imagem de Sophie dormindo em sua cama que não conseguia dar nem um passo. Mais uma vez, não conseguia fazer nada além de olhar fixamente para ela, observar o vai e vem vagaroso de seu peito, o cabelo espalhado pelo travesseiro, a expressão tão serena.

O nó no peito dele apertou-se ainda mais quando finalmente entrou no aposento. O perfume dela já estava em todo lugar, envolvendo-o, penetrando-o, levando-o mais perto dela.

Sessenta segundos depois, ele já tirara as roupas. Todas elas.

Ele a queria. Muito. Jake não a desejara só a partir do momento em que a vira em pé na porta da frente, não sentira falta dela só por dois meses e meio, desde quando fizeram amor na casa alugada em Napa. Não; a verdade era que ele sempre a quisera, havia muito tempo.

Puxou as cobertas, deslizou para perto dela e colocou o braço em volta da cintura para puxá-la para mais perto, as curvas macias encaixando-se perfeitamente nele, os quadris um invólucro aconchegante e quente para a ereção que não passava. Jake enfiou uma mão dentro do cabelo comprido dela, inalando seu perfume doce.

Ter Sophie Sullivan em sua cama não deveria parecer ser a coisa certa. Mas nada parecera tão perfeito antes.

— Boa noite, princesa — ele murmurou as palavras na testa dela, pressionando um beijo macio. O sono tomou conta de Jake antes do que imaginara, com a única mulher que pensara jamais poder ter, segura e protegida em seus braços.

CAPÍTULO DOZE

Sophie sentia-se tão segura, tão aquecida, pairando naquele estado de lusco-fusco. Sabia exatamente onde estava, sabia exatamente por que se sentia tão bem. Jake a segurava, os braços enroscados protetoramente sobre os ombros dela, uma das mãos sobre sua barriga embaixo da camiseta, como se quisesse proteger mais alguém além dela.

E estava completamente nu.

Podia sentir a carne rígida de sua ereção contra a cintura, os pelos de suas coxas roçando na pele macia das pernas dela, e, à medida que o desejo pouco a pouco tomava conta dela, Sophie não conseguia impedir seu corpo meio acordado de querer chegar ainda mais perto dele.

Ela acreditara que a noite seria sua inimiga, aquelas horas escuras durante os sete dias que havia prometido. Mas agora sabia que não importava se fosse dia ou noite, claro ou escuro.

Ela era sua pior inimiga.

Jake não precisaria pedir nada. Só de estar assim perto dele, só de poder sentir o carinho de seu toque, ela lhe daria qualquer coisa.

Claro que, ao ouvir sua admissão secreta, a Sophie *Boazinha* acordou completamente dento dela e começou a alertá-la para proteger-se antes que se magoasse mais ainda. *Boazinha* tentou lembrá-la da dor que sentira dois meses antes, tentou fazê-la encarar as verdades sobre as quais tinha pensado no dia anterior.

Mas a Sophie *Teimosa*, a parte dela que vinha sendo negada há tempos, queria voltar para aquele lugar onde Jake a tocava, a provocava, a levava ao paraíso. Dessa vez, seria mais cuidadosa; não seria tão idiota a ponto de declarar abertamente seu amor por ele nem mesmo admitir o que sentira por ele, independentemente do quanto ele a fizesse sentir-se bem.

Obviamente, quando Jake, com um sopro gentil, afastou o cabelo de seu pescoço e pressionou os lábios na pele sensível, era inevitável que *Teimosa* vencesse essa batalha. Em vez de tentar lutar contra isso, sabendo que não faria sentido tentar fingir que não queria ser a amante dele pelos próximos sete dias, Sophie fez o que era natural e arqueou o pescoço para lhe facilitar o acesso.

Um gemido rouco de prazer saiu do peito de Jake, quando puxou os quadris dela ainda mais apertados contra os dele, sem tirar a mão de cima da barriga dela. A língua escorregou sobre o pescoço exposto e ela arrepiou-se diante da deliciosa sensação de ser degustada. Saboreada. E, quando ele lhe assoprou a pele úmida, sentiu os bicos dos seios intumescerem, transformando-se em pontos duros de desejo. Seus seios estavam mais sensíveis agora, provavelmente por causa da gravidez. E, ah, como ela queria que as mãos dele saíssem de sua cintura e fossem um pouquinho mais para cima.

Porém, a boca de Jake estava de volta ao pescoço dela, mordiscando-lhe a pele, provocando arrepios até chegar à sua orelha, e a respiração que Sophie estivera segurando esvaiu-se do peito no momento em que os dentes dele lhe morderam a pele macia.

Mais pronta para o sexo do que jamais estivera na vida, ela instintivamente pressionou os quadris sobre a ereção dele, tentando abrir as pernas para que ele pudesse possuí-la. Mas a coxa dele entre as dela a mantinha presa ali.

— Jake — ela implorou, ainda mal acordada e já suplicando.

— Shhh — ele acalmou-a, e ela teria partido para uma solução mais rápida se ele não tivesse finalmente começado a mexer a mão.

Sophie ficou completamente imóvel, sem querer impedi-lo de parar aquele toque pecadoramente lento da ponta dos dedos sobre seu umbigo e, depois, abaixo dos seios. Mas, mesmo tentando ficar parada, podia sentir que estava tremendo.

Por quanto tempo sonhara ter Jake tocando-a desse jeito? Como se fosse a coisa mais preciosa do mundo? Como se nunca pudesse deixar que nada a machucasse? Como se pudesse passar por cima de tudo e de todos só para ficar mais um momento ao lado dele?

Enquanto o sentia roçar os dedos suavemente sobre sua pele, não fazia diferença que *Boazinha* estivesse gritando para que tomasse cuidado, para que acordasse e encarasse a realidade. A Sophie *Teimosa* dizia que a realidade podia esperar, e teria que esperar, pois não havia como sair dos braços de Jake agora, não quando ele estava tão perto de tocá-la...

A mão dele parou bem abaixo da curva dos seios e ela quase gemeu de frustração.

— Daqui a pouco — Jake prometeu, e a intenção pervertida na voz, juntamente com o carinho avassalador da promessa, fez os dedões do pé de Sophie se curvarem contra o peito do pé dele.

A respiração dela se acelerava à medida que ele a cobria de beijos e lhe mordiscava a orelha, o pescoço e, então, o ombro. Sophie podia jurar que, àquela altura, a ereção dele latejava nas costas dela, que ele a provocava tanto quanto a si mesmo, mas o desejo evidente por ela não o fazia agir mais rápido. Se beijasse o corpo de Sophie de cima a baixo dessa maneira, ele a deixaria quase louca... cada pressão dos lábios sobre a pele dela levando-a cada vez mais perto do ápice, mas nunca chegando lá.

Finalmente, os dedos de Jake recomeçaram a jornada erótica, roçando-lhe a curva dos seios, até a mão conseguir tocar os dois ao mesmo tempo. Os bicos sensíveis doíam, e ela entregou-se àquele toque, tentando fazê-lo possuí-la ainda mais.

Tudo. Jake podia ter tudo o que quisesse dela nesse momento. Qualquer coisa que fosse, ela daria a ele, contanto que cumprisse sua promessa de lhe dar prazer.

— Tão macio. — Ele pegou um dos seios nas mãos de um jeito tão carinhoso que a fez arfar diante do toque levemente áspero da pele dele contra a dela. E, quando ele colocou a boca na curva entre o ombro e o pescoço, a respiração de Sophie transformou-se em uma súplica incontrolável.

— Por favor, Jake.

Pelo modo como mexia os quadris, sem conseguir parar, Jake sabia o que ela queria. Que a possuísse exatamente assim, enquanto a segurava, enquanto estivesse no paraíso mais perfeito que alguém pudesse imaginar.

No entanto, como a súplica não atingiu seu objetivo, Sophie percebeu que Jake sempre estaria no controle quando estivessem juntos assim. A ideia a chocou, mas não mais do que a percepção de que ela adorava isso. E, ah, ser a princesa dele, ainda que apenas por um tempo, ficar nos braços dele assim... Até a "voz interior Boazinha" não teve escolha senão calar--se. Um momento mais tarde, até mesmo a voz de Teimosa silenciou-se, quando a língua de Jake deslizou sobre sua pele, passando vagarosamente pelas costas enquanto mexia a mão para encher a palma com seu outro seio, pressionando o dedão e o indicador sobre o mamilo duro.

As entranhas de Sophie pareciam lava derretida e, ainda que Jake tivesse tocado somente seu pescoço, suas costas e seus seios extremamente sensíveis, Sophie já se sentia quase no limite, prestes a chegar a um clímax inesperado que lhe tiraria o fôlego e a consciência, como Jake já tinha feito antes.

— Ah, ah, ah!

Diante dos gemidinhos dela, os músculos da coxa de Jake enrijeceram, pressionando-a entre as coxas, e Sophie cavalgou sobre ele feito uma mulher ensandecida. Não havia espaço para desconfortos ou vergonhas aqui. Assim como não havia mais espaço para a fúria e a mágoa que sentira antes.

Tudo o que restava nas primeiras horas da manhã naquela cama era um prazer incomensurável. Um prazer tão profundo que Sophie não tinha forças para impedir que tomasse conta de cada célula, por dentro e por fora.

Ele tirou as mãos dos seios, deslizando-as para baixo mais rápido do que quando percorrera o caminho até sua barriga, felizmente.

— Preciso tocar você.

Com o clímax chegando cada vez mais perto, desta vez, quando ela se mexeu para abrir as pernas, ele deixou. E então colocou a mão sobre a pélvis dela, escorregando suavemente sobre os pelos úmidos, sem parar como tinha feito antes, quando ela estava morrendo de vontade que ele lhe acariciasse os seios. Sophie sentiu um leve tremor no braço dele ao chegar mais perto de seu sexo, como se todo o autocontrole que mantivera até agora, com a óbvia intenção de torturá-la fazendo tudo devagar e suavemente, estivesse lhe escapando entre os dedos.

— Sophie.

O nome dela saiu dos lábios dele no momento em que lhe encobriu o sexo com a mão inteira. O calor à flor da pele assustou-a e tomou conta dela, e Sophie recostou a cabeça na curva dos ombros dele. O corpo grande e forte de Jake aconchegou-a, cobrindo-lhe o sexo, literalmente segurando com a mão a expectativa do que ainda estava por vir.

— Tão macia — disse ele novamente. — E tão molhada para mim.

Então, antes que ela pudesse pensar em como respirar de novo, os dedos dele estavam dentro dela, preenchendo-a, acariciando seu sexo tão perfeitamente que a pressão profunda dentro de sua barriga cresceu novamente. Seu sexo latejava diante da pressão dos dedos habilidosos de Jake, seus seios doíam, querendo ser tocados de novo.

Finalmente, Jake colocou-a com as costas no colchão, e, pela primeira vez desde a noite anterior, ela pôde olhar para aquele rosto inacreditavelmente lindo, aqueles olhos cheios de calor, tão negros e tão perigosos. Sophie não conseguia afastar os olhos, podia sentir as palavras desesperadas de amor prestes a saírem de seus lábios, mesmo sabendo que não deveria dizê-las, mesmo tendo jurado que não faria de novo.

— Jake, eu...

Os lábios dele cobriram os dela antes que pudesse dizer mais alguma coisa, e o beijo apaixonado lhe dissipou os pensamentos. Ela amava senti-lo desse jeito, como se não fosse a única que não pudesse se saciar, e beijou-o de volta com todo o amor de seu coração tolo, entregando-se a todos os sentimentos que jurara nunca mais sentir por ele novamente.

Mais rápido do que deveria, ele afastou os lábios dos dela, mas foi imediatamente perdoado quando abaixou a cabeça até seus seios, lambendo um de cada vez. Enquanto a mão entre suas pernas continuava a lhe acariciar as terminações nervosas da maneira mais deliciosa possível, a outra deslizava pelo outro seio.

Era demais: o jeito que seus lábios formigavam depois dos beijos dele, e agora a boca, as mãos dele sobre ela, cobrindo-a, acariciando-a, torturando-a.

— Está tão gostoso, ainda mais gostoso do que antes — ela gemeu enquanto arqueava o corpo, levantando-se da cama para dentro das mãos, da boca e dos músculos rijos dele, precisando ficar cada vez mais perto do homem que a estava amando como ninguém jamais tinha feito antes. Ondas de prazer percorriam seu corpo, como no mar, arrastando-a para cima e para baixo, enquanto tentava desesperadamente recuperar o fôlego.

No entanto, Jake não permitia que ela recuperasse o fôlego, voltando a cobrir-lhe os lábios. A língua dele se enroscava na dela, as mãos agarrando-lhe os quadris. A pele dele parecia ainda mais áspera sobre a pele macia dela, e Sophie se deliciava ao menor toque daquelas mãos grandes, das pontas dos dedos cheias de calos brincando com destreza sobre ela, dentro dela.

Ele mudou de posição, colocando todo o peso do corpo sobre ela, e Sophie instintivamente abriu ainda mais as pernas, dando-lhe mais espaço para se acomodar entre elas. Ele tirou-lhe a camiseta preta por cima da cabeça e jogou-a no chão. A cabeça do membro dele escorregou e penetrou-lhe o sexo, fazendo Sophie arquear-se novamente. Jake mantinha os quadris dela entre as mãos grandes, segurando-se firmemente sobre ela quando afastou os lábios.

— Tem absoluta certeza de que está grávida?

Sophie não entendia por que ele estava fazendo aquela pergunta.

— Sim, tenho certeza.

— Não tenho nada, Sophie. Acabei de fazer um exame de sangue e juro que não tenho nada.

De algum modo, mesmo com a nuvem de desejo encobrindo-lhe o cérebro, ela se deu conta do que ele estava dizendo: não queria usar camisinha. Ela também não queria nada entre eles, queria Jake e apenas Jake dentro dela.

A ideia deixou-a tão louca de desejo que mal conseguiu balbuciar:

— Eu também.

— Graças a Deus — ele prosseguiu, e as palavras soaram como

uma verdadeira prece de agradecimento saindo-lhe dos lábios.

Ela segurou o fôlego, esperando que metesse nela com força, do mesmo jeito que fizera naquela primeira noite juntos. Em vez disso, Jake tirou gentilmente as mãos de baixo dos quadris dela. Não para lhe acariciar os seios nem para lhe acariciar a pele do jeito que fizera um pouco antes. Mas pegou o rosto dela, segurando-o carinhosamente com aquelas mãos enormes, tão fortes.

Não a beijou, só olhou-a com aqueles olhos escuros, e Sophie ficou completamente cativa.

— Você é minha.

Dessa vez, nenhuma voz interior prudente e protetora a impediu de concordar com ele. Como poderia, quando estavam no limite da expectativa?

— Sou sua.

A palavra *minha* ecoou no quarto no momento em que ele a penetrou, os olhos ainda fixos nos dela. Sophie nunca sentira nada tão intenso, dentro ou fora da cama, com a presença de Jake envolvendo-a tanto quanto seus braços, aconchegando-a, mantendo-a firme quando, de outra forma, poderia ter perdido completamente o controle.

Tinha que dizer a ele, precisava que ele soubesse:

— Nunca me senti assim antes. — Prazer assim era impossível de existir; no entanto, agora ela sabia que existia. — Nunca imaginei.

Fora o que dissera a ele depois do primeiro beijo, e agora estava dizendo de novo, enquanto faziam amor naquela cama, com o sol cada vez mais alto, brilhando sobre eles.

— Todos aqueles livros e você nem imaginava.

Os olhos dela se arregalaram quando percebeu que ele estava brincando, a boca esboçando um sorriso rápido antes de curvar-se para dar-lhe um beijo carinhoso na testa, depois no rosto, então na curva do pescoço, no peito e na parte de cima dos seios.

Se o sexo depois do casamento em Napa tinha sido um *staccato* de desejo e necessidade insaciáveis, a maneira como Jake se deliciava com cada pedacinho dela nesse momento era como uma linda sonata, servindo como trilha sonora para aquele ato de amor.

Ela sabia que o sexo era simplesmente uma parte do acordo de uma semana, e tinha achado que conseguiria manter-se em parte protegida, ao mesmo tempo em que poderia sentir prazer com o toque dele. No entanto, agora tinha que encarar o quanto esse objetivo seria impossível.

Depois de amá-lo em segredo durante tantos anos, sentir os toques dele dessa maneira, sabendo que suas intenções eram convencê-la a deixá-lo fazer parte da vida dela e do bebê... era muita coisa para resistir.

Ao final, foi a atenção carinhosa, juntamente com o sorriso inesperado de Jake, que a fez chorar quando chegou ao orgasmo, os lábios dele capturando os gemidos enquanto se mexia com ela, levando-a cada vez mais às alturas, a cada estocada de seu membro dentro dela.

Eles iam e vinham juntos, a pele úmida de suor escorregando e deslizando, os lábios dando e recebendo na mesma proporção, o sexo dela apertando-o, fazendo-o gozar junto com ela, do mesmo jeito, com a mesma intensidade, ao mesmo tempo. Quando o sentiu explodir dentro dela, Sophie atingiu um pico ainda mais alto, que não imaginou conseguir alcançar, as explosões continuando para sempre, espasmos de prazer sem fim.

Ela achara que precisava de sexo rápido e vigoroso, acreditara que a urgência de ser possuída por ele justificasse qualquer coisa. Mas estava errada.

Depois de tudo o que tinha acontecido, precisava ser amada.

E, ah, como Jake a amou.

CAPÍTULO TREZE

Jake estava deitado em cima de Sophie, pressionando-a sobre a cama, os braços esguios dela apertados em volta do pescoço dele, as pernas lindas enroladas em sua cintura. Poderia ficar com ela desse jeito para sempre, nunca deixá-la ir embora...

Ah, não! Ele saiu rapidamente de cima dela, praticamente pulando para fora da cama.

— Jake? O que aconteceu?

— Não acredito que esqueci. — Ele agarrou os travesseiros e os enfiou embaixo dos joelhos dela, com Sophie olhando para ele como se tivesse ficado louco.

Ela tentou se sentar, tentou alcançá-lo de novo.

— O que está fazendo?

Ele colocou as mãos sobre os ombros dela e gentilmente acomodou-a de volta na cama.

— Estava amassando você. Poderia ter machucado você, poderia ter machucado o bebê.

Pela manhã, ele notara que a barriga dela tinha uma leve protuberância. Não suficientemente grande para que alguém pudesse notar a mudança se não soubessem que ela estava grávida. No entanto, ele sabia, e ter conhecimento disso já havia lhe causado uma transformação. Nunca se sentira assim antes, tão protetor, tão satisfeito... e tão orgulhoso.

A risada de Sophie cortou a linha de raciocínio dele.

— Não acredito que você ache que um pouquinho de sexo vai fazer mal!

Jake não podia acreditar que ela estava rindo dele. Ou que tivesse reduzido a praticamente nada o que acontecera entre eles. O que tinha acontecido com a garota quieta e de maneiras delicadas que conhecia há tanto tempo?

— Não chamaria exatamente o que fizemos de "um pouquinho de sexo".

Mais uma vez, os lábios dela se abriram numa risada, mas, quando viu que ele continuava sério, ela afirmou:

— Estou bem, Jake.

Sophie realmente não entendia: era o filho *dele* que estava ali. Ele planejara colocá-la de quatro e penetrá-la por trás, assim não teria como olhá-lo com aqueles olhos grandes e cheios de esperança, e ele não colocaria todo o seu peso em cima dela.

Mas não conseguira fazer isso, pois precisava olhar para ela. Tinha que ver aquela expressão de pura satisfação no rosto dela, quando a penetrara, dessa vez sem nada entre eles.

Jake não deveria querer ouvi-la dizer novamente que o amava... mas queria. Mais do que jamais quisera outra coisa na vida. Pior ainda, olhar para ela embaixo dele, tão vulnerável, tão entregue, tão meiga, fizera coisas malucas passarem por sua cabeça. E por seu coração. Ele obrigara-se a cobrir os lábios dela com os seus antes que os dois dissessem algo de que se arrependeriam mais tarde.

E, ao final, ele havia perdido o controle, possuindo-a sem se importar com a vida que ela carregava dentro de si.

— Tenho absoluta certeza de que sexo durante a gravidez não faz mal — ela reafirmou.

— Vou perguntar ao médico.

Ela franziu o cenho novamente.

— Ah, não. De jeito nenhum. Não vamos fazer isso.

Ela jogou de lado os lençóis e saiu da cama, oferecendo uma visão maravilhosa de suas curvas nuas a Jake, quando se abaixou para pegar as roupas.

Agora foi a vez de ele perguntar:

— O que está fazendo?

Tinha certeza de que ela não se lembrava de que estava completamente nua quando o encarou, visivelmente irritada.

— Não sou feita de porcelana. Entendo que esteja preocupado, que queira controlar tudo ao seu redor, mas decididamente não vou deixar você *me* controlar!

— Espere aí. — Ele foi em direção a ela. — Não estou tentando controlar você.

Sophie baixou o tom de voz numa péssima imitação dele:

— "Sete dias, Sophie. Claro que vai ficar aqui comigo. E sexo não é negociável, desde que mantenha os travesseiros embaixo dos joelhos e se preocupe com tudo o que fizer dia e noite, a partir de agora, para manter meu precioso bebê são e salvo."

Ele não queria rir. Mas o fato de ela não só ser a mulher nua mais sexy que já vira, mas também a mais querida, não ajudava em nada. Sophie sempre parecera tão serena, quase na fronteira da submissão. No entanto, desde o casamento de Chase, vinha se mostrando cheia de vontade própria.

E isso o deixava louco de tesão.

Infelizmente, ela percebeu o riso reprimido dele.

— E fique sabendo que qualquer progresso que tenha feito comigo na sua jornada de uma semana rumo ao casamento acabou de ser erradicado por esse sorrisinho idiota na sua cara.

Ela virou-se para afastar-se dele e ir ao banheiro, mas ele alcançou-a e colocou um braço em volta da cintura dela, puxando-a novamente para perto de si, as roupas e os sapatos que segurava caindo no chão. Ao olhar para ele, a respiração dela começou a acelerar.

— Então, quer dizer que progredi um pouquinho, hein?

Ela emitiu um som furioso, então espalhou as palmas das mãos sobre o peito dele e empurrou-o, forte o bastante para que ele caísse de volta na cama.

— Os orgasmos lhe valeram alguns pontos — ela advertiu com uma voz que poderia ter atravessado o aço — mas a maneira como está se comportando agora acabou de colocar você de volta a um território negativo. Bem lá atrás.

Dito isso, ela foi até o closet, pegou uma camisa social listrada de azul e vermelho, juntou as roupas e os sapatos do dia anterior e caminhou pisando duro até o banheiro, batendo a porta tão forte que as janelas estremeceram.

Jake sabia que deveria se preocupar por aborrecê-la, mas a verdade era que adorava ver esse lado dela. Não só porque ficava linda com a pele enrubescida e os olhos flamejantes quando estava brava com ele, mas porque nunca esperara que ela tivesse esse fogo.

Mais uma vez, Sophie Sullivan o surpreendia. Dentro e fora da cama.

Porém, as surpresas ainda não tinham terminado: ao desligar o chuveiro e sair do banheiro alguns minutos depois, Sophie estava usando a camisa dele como um vestido preso na cintura que ia até a altura dos joelhos, com cinto, pernas de fora e salto alto. O cabelo estava molhado ao redor dos ombros e ela estava tão sexy quanto uma mulher pode ser.

— Está linda!

Com uma bufada de descrença, ela refutou:

— Pareço um pôster dos anos 80. Mesmo assim, ainda é melhor do que vestir roupas sujas. — Ela torceu o nariz. — Odeio isso.

— Espere aí — ele disse enquanto se aproximava dela. — Quer dizer que não está usando nada embaixo da minha camisa?

Ela abriu bem os olhos e começou a se afastar dele.

— Precisamos ir logo, logo. A consulta é daqui a 45 minutos e ainda precisamos parar no meu apartamento para eu me trocar e colocar roupas normais.

— Quarenta e cinco minutos? — Ele fingiu pensar por um momento. — Isso seria mais do que o suficiente para o que tenho em mente.

Uma expressão de pura luxúria passou pelo rosto dela. No entanto, um momento depois, fez sua melhor cara de bibliotecária, aquela que dizia a ele que estava fazendo muito barulho e muita bagunça e estava a ponto de ser expulso do prédio se não se comportasse imediatamente.

— Vá tomar um banho e se vestir, Jake. — Ele podia notar o quanto ela queria olhar para a cueca dele para ver se estava excitado... e ele estava mesmo. Mas Sophie manteve o olhar firme no rosto dele. — Vou esperar você na cozinha.

Teria sido muito fácil agarrá-la de novo, colocá-la contra a parede e penetrá-la em cinco segundos. E, ah, meu Deus, como Jake estava tentado a fazer isso, a encher as mãos com as curvas macias dela, a saborear o gosto doce de sua pele, a deslizar mais uma vez, sem nenhuma proteção, para dentro daquele calor escorregadio.

No entanto, estava falando sério quando dissera que precisava perguntar ao médico se o sexo não faria mal. Assim, deixou-a se afastar.

Por ora.

Sophie andava de um lado para outro na cozinha de Jake, tentando aliviar sua agitação... e seu tesão sem fim. Felizmente, quando Jake veio na direção dela, feito um lindo leão prestes a atacar sua presa com aqueles olhos escuros cheios de intenções sensuais de tirar-lhe o fôlego completamente, ela conseguiu afastar-se dele com esforço.

Especialmente quando o que realmente queria era atirar seus braços e pernas ao redor dele para outra viagem ao paraíso.

À luz clara do dia, forçou-se a repassar a lista de motivos pelos quais Jake era ruim para ela. Ele nunca a amaria do jeito que ela o amava. E, depois daquela noite juntos, quando ele a tinha tocado como se realmente se importasse com ela — e então desaparecera —, ela sabia que era melhor nunca mais ter esperanças novamente. Se não tivesse engravidado e não tivesse vindo lhe dar a notícia, tinha certeza de que ele nunca teria ido atrás dela. Ao contrário, ele a teria evitado completamente, da mesma forma que evitara inúmeros eventos da família Sullivan nos últimos dois meses e meio, aos quais ela sabia que, em outras ocasiões, ele teria ido.

Contudo, fazer amor nessa manhã tinha sido diferente da primeira noite. Ela não tivera tantos orgasmos; mesmo assim, havia sido melhor. Pois Jake parecia querê-la de verdade, não só aquela fantasia de madrinha que a maquiadora e a cabeleireira tinham montado para ela.

Nessa manhã, Sophie sentira que ele a tocava por ser incapaz de não fazê-lo.

Claro que tinha destruído essa teoria logo de cara, quando pulara da cama e enfiara aqueles travesseiros embaixo dos joelhos dela. Jake era a última pessoa no mundo que ela imaginaria ficando maluco com mulheres grávidas, mas isso só confirmava o principal motivo do qual precisava se lembrar todas as vezes: ele claramente a queria pelo bebê, não por ela mesma. E, se uma transa maravilhosa aparecesse no meio do caminho de ter um filho, quem era ele para dizer não?

Ela abriu a geladeira, procurando por alguma coisa que pudesse acalmar seu estômago enjoado, mas o cheiro das sobras da noite anterior a fizeram fechá-la alguns segundos depois, resmungando:

— Eu poderia ser qualquer mulher grávida, e ele estaria louco por mim. O idiota provavelmente tem algum tipo de fetiche esquisito com mulheres grávidas.

— Que negócio é esse de fetiche?

Ela virou-se rapidamente, a mão sobre o coração.

— Não sabia que estava aí.

Sem querer dar explicações, ela pegou a bolsa e foi em direção à porta. Foi quando percebeu, de repente, que havia algo errado. Não havia livros em lugar nenhum. Nem na mesa de centro, nem no balcão, e, principalmente, não havia pilhas de livros no chão como na casa dela, que a faziam tropeçar toda vez que saía da cama para um lanchinho no meio da noite.

No entanto, quando ele colocou a mão em sua cintura, todas as suas perguntas sobre a falta de material de leitura sumiram, e ela tentou ignorar o quanto o toque dele era gostoso... e o quanto seus modos eram gentis.

É só por causa do bebê, ela lembrava a si mesma.

Eles percorreram em silêncio o caminho até o apartamento dela. Ele dirigia do mesmo jeito que fazia amor; as mãos grandes controlando gentil, mas firmemente a direção de seu carro luxuoso. O corpo dela esquentou e contorceu-se no banco do passageiro, pressionando as coxas bem apertadas para tentar dissipar a dor.

— Sou humano, Sophie. — Os olhos dele passaram pelo rosto dela, depois pelos seios e as pernas nuas sob a camisa dele. — Se continuar olhando para mim desse jeito, vou ter que parar o carro para darmos um jeito nesse problema.

— Não tem problema nenhum — ela garantiu, mas a voz entrecortada denunciava que estava mentindo.

Como poderia conciliar a Sophie Boazinha que fora a vida toda com a mulher devassa no carro de Jake, que queria escancarar as pernas e deixá-lo fazer o que bem quisesse com ela, no meio do trânsito do centro de São Francisco?

Graças a Deus que pararam o carro na frente na casa dela 30 segundos depois.

— Volto em dois minutos. Pode esperar aqui no carro.

Ela abriu a porta com toda força e, na ânsia de se afastar da tentação, quase caiu na calçada. Podia imaginar o quanto seu apartamento ficaria pequeno se Jake estivesse lá dentro com ela... e o quanto seria difícil manter-se vestida com ele por perto, e ainda conseguir chegar na hora à consulta do médico.

―――※―――

Jake sabia que deveria sentir-se culpado pelos pensamentos mundanos rodando em círculos em sua cabeça, sobre o fato de estar a dez segundos de cumprir sua ameaça de parar o carro e colocar as mãos e a boca em cima de Sophie.

Mas que inferno! Ela era a coisa mais sexy que já vira antes... e tão transparente a ponto de não conseguir esconder os pensamentos de luxúria passando um depois do outro em sua cabeça, enquanto sentava-se ao lado dele dentro daquele carro esporte.

Dois meses e meio atrás, ela se entregara a ele sem pensar duas vezes. Agora, mesmo desejando-o visivelmente tanto quanto ele a desejava, Jake conseguia ver que as intenções dela eram manter-se afastada dele o máximo que pudesse. Sim, ela concordara em ir para a cama com ele, e aquilo deveria ser mais do que suficiente, mas não era. Não mais. Não quando já a havia possuído por inteiro antes.

Ele imaginou o que faria Sophie abrir-se para ele novamente; confiar nele da mesma maneira que confiara em Napa.

Um grande peso recaiu sobre as entranhas de Jake enquanto, em silêncio, reconhecia as razões plausíveis para que ela não confiasse nele. Ela nunca acreditaria se lhe dissesse que não era o tipo de cara que dormia com uma garota e depois a deixava em banho-maria durante meses. Ele sempre fora muito claro com suas amantes com relação às expectativas, sobre o fato de que não deveriam ter nenhuma esperança. E ele nunca tinha fugido no meio da noite como um covarde.

Até Sophie.

E não fazia ideia de como recuperar a confiança dela.

Sem sombra de dúvidas, a conexão sexual que ele e Sophie compartilhavam era a melhor possível. O desejo que tinham um pelo outro nunca desapareceria, independentemente do quanto ela quisesse contê-lo.

No entanto, isso não era suficiente. Ele sempre gostara de Sophie, mas agora, vendo os lados diferentes dela — a mulher inteligente e sexy, as emoções complicadas e os prazeres simples que tinha com a beleza e a comida, o fogo que surgira daquela personalidade serena —, queria que gostasse dele também.

E isso, ele já sabia, seria a tarefa mais árdua de todas, considerando que seria pressionado a apresentar uma lista de motivos pelos quais ela deveria gostar dele.

Sophie voltou para o carro trajando um vestido cinza de malha macia e mangas longas, que evidenciava suas curvas mais do que podia imaginar. Havia colocado um pouco de maquiagem e penteado o cabelo até ficar brilhante. Ela colocou o cinto de segurança e sentou com as mãos formalmente cruzadas sobre o colo, antes de informar o endereço do consultório médico com uma voz seca.

Jake não conseguiu conter o sorriso ao vê-la tentando controlar toda aquela paixão com a qual travara uma batalha poucos minutos antes. Que garota linda e tola! Será que não percebia que devia desistir de uma vez por todas?

— Vamos chegar atrasados — ela disse secamente ao perceber que ele não ligava o carro.

Mas, quando se virou, o que quer que fosse dizer a ele desapareceu de sua mente, e a confusão tomou conta de seu pensamento.

— Por que está olhando para mim desse jeito? Por que está sorrindo?

Era tão fácil tirá-la do sério. Já podia ver que nunca se cansaria de colocar faíscas nos lindos olhos dela.

— O que quer que esteja guardando na manga — ela resmungou —, pode esquecer.

A verdade era que ele não tinha nada planejado para o momento. Queria passar por essa consulta ao médico antes de dar o próximo passo na direção de convencê-la a casar-se com ele. Mas Sophie não precisava saber disso. Especialmente quando ele se deu conta de que gostava de tê-la sempre em alerta, esperando pelo próximo passo dele.

Quer admitisse, quer não, ela também gostava.

— Você não gostaria de saber? — ele provocou-a com o tom mais sensual possível naquele sorriso, então acelerou trânsito adentro antes que ela pudesse dizer outra palavra.

CAPÍTULO CATORZE

Sophie preencheu a ficha de registro com a recepcionista, então se sentou nas poltronas forradas de couro na sala de espera e pegou uma revista. Estava determinada a ignorar Jake. Claro que era quase impossível, com todas as outras mulheres na sala olhando maravilhadas para ele.

Pelo amor de Deus, todas essas mulheres estavam grávidas! O que pensavam estar fazendo, olhando para um estranho daquela maneira?

Não que ela fosse possessiva, disse a si mesma, mas é que elas estavam se comportando de forma inadequada. Seus maridos não ficariam nada satisfeitos se soubessem que as esposas estavam praticamente babando, prostradas diante da beleza máscula de Jake.

— Então — ele perguntou a uma das mulheres —, como está indo sua gravidez?

Claro que ele não poderia deixar passar, não é? A mulher sorriu para ele como se tivesse presenciado o milagre do Advento.

— Muito bem. — A mulher inclinou-se mais perto, como se fosse lhe contar um segredo. — Vou ter um menino.

Jake chegou ainda mais perto e sorriu para a mulher.

— Que maravilha!

— Eu vou ter uma menina! — outra mulher contou, lá do fundo da sala.

Jake sorriu para ela também.

— Parabéns! — Ele cumprimentou todas as mulheres com um movimento de cabeça. — Realmente não há nada mais lindo do que uma mulher grávida.

Sophie nunca vira pessoas tão felizes quanto essas mulheres depois da declaração de Jake. O que havia de errado com elas?

E por que ela sentia esse ciúme patético?

— Eu sabia — ela resmungou para dentro da revista e a mulher que estava perto dela ergueu a sobrancelha.

— O que você sabia? — ele indagou, colocando-lhe uma das mãos sobre o joelho.

Por que ele tinha que ser tão carinhoso? E por que ela tinha que gostar tanto de ser tocada por ele? Tanto.

Sophie cruzou e descruzou as pernas de propósito, assim Jake teve que tirar a mão de seu joelho. *Sabia que você era um daqueles malucos com fetiches com mulheres grávidas*, era o que ela estava pensando, mas simplesmente respondeu:

— Nada.

Ele inclinou-se bem perto, e ela sentiu seu hálito no lóbulo da orelha.

— Vou achar um jeito de convencer você a me contar mais tarde, sabe disso.

A língua dele roçou-lhe o lóbulo da orelha antes de afastar-se dela, e Sophie mal conseguiu impedir que um gemido de prazer escapasse de seus lábios.

Zangada consigo mesma por não ter nenhum controle sobre seus hormônios com Jake por perto, ela sussurrou:

— Você é um pervertido, isso, sim!

A risada de Jake diante da declaração maluca ecoou pela sala de espera.

— Mal posso esperar para saber por quê.

— Sabe muito bem por quê.

Ele olhou-a, confuso, e ela teve que apontar com a cabeça em direção às outras mulheres para que ele pudesse entender. Dessa vez, a risada dele foi tão alta que ressoou por todo o consultório.

— Ah, então é por isso que estava resmungando sobre fetiches hoje de manhã. Você acha que eu sou... — Ele caiu na risada de novo.

Ela ergueu a revista mais para cima, de propósito, fingindo estar envolvida pelo artigo sobre qual ainda nem passara os olhos.

Um momento depois, quando finalmente parou de rir, ele recostou-se de volta e cochichou:

— Fica mais fácil se ler desse jeito.

A proximidade do corpo grande e forte dele naquela sala de espera tão pequena impedia o cérebro dela de entender o que estava falando, até que ele virou a revista do lado certo nas mãos dela.

Ah, meu Deus, que vergonha. Normalmente não se importava com o que um bando de estranhos fosse pensar dela, mas, de novo, ela sempre se misturava à paisagem, de modo que ninguém a notava de verdade.

Estar com Jake, ela agora percebia aos poucos, era o oposto de ser invisível. A presença dele era muito marcante; ele era muito carismático e charmoso, além de lindo, para que passasse despercebida quando estava com ele.

Deveria ser mais fácil esconder-se atrás dele. No entanto, percebeu que ele não a deixava fazer isso, colocando a mão de volta sobre o joelho dela e deixando-a ali, independentemente do quanto tentasse se livrar dele. Apesar de toda a arrogância, ele não parecia interessado em ser o centro das atenções. Em vez disso, tinha a estranha sensação de que estava orgulhoso de sentar-se ao lado dela.

Mesmo quando estava fazendo coisas ridículas como fingir ler uma revista de cabeça para baixo.

— Para quando esperam o bebê?

Sophie não podia acreditar que a mulher no canto fizera a pergunta a Jake em vez de a ela, como se tivesse algum vínculo especial só porque ele sorrira e dissera a ela que estava bonita.

Obviamente, incomodava mais ainda que Sophie não tivesse precisado de muito mais razões do que um simples sorriso dele para se apaixonar, muitos anos atrás.

— No outono.

Era impossível deixar de notar o tom possessivo na voz dele ou a alegria evidente diante da perspectiva de ter um bebê. Sophie sentiu o coração esmorecer, contra sua vontade.

Que porcaria! Por que ele não podia ser um cafajeste o tempo todo? Por que insistia em ter esses momentos quando parecia ser o cara perfeito? Seria tão mais fácil odiá-lo se se comportasse como um imbecil narcisista e egoísta, em vez de um pai de primeira viagem carinhoso, preocupado e supersexy.

Mesmo assim, pelo menos isso servia para lembrá-la de que a única coisa em que Jake estava realmente interessado era no bebê. Não nela. Afinal, ele a tinha abandonado sem nem olhar para trás, mas, assim que soubera do bebê, tinha se tornado a pessoa mais interessada do planeta.

— Ah, que maravilha! — a mulher exclamou. — Parabéns!

Jake apertou a coxa de Sophie acima dos joelhos e, imediatamente, arrepios de prazer lhe percorreram as pernas diante daquele toque íntimo.

— Obrigado — ele respondeu. — Estamos muito felizes.

Por mais incrível que pudesse parecer, era verdade. Apesar de ter ficado grávida sem querer e da situação do relacionamento deles estar completamente no ar, surpreendentemente, ambos sentiam-se muito felizes em ter um bebê. Mesmo que toda a questão de custódia compartilhada pudesse ser difícil, com duas casas, especialmente se um dos brinquedos ficasse para trás quando ela fosse buscar a criança na casa dele.

Depois que tivesse o bebê, eles deveriam ter uma conversa sobre o que era ou não era apropriado que a criança visse. Sim, deixaria bem claro que ele deveria manter todos os seus encontros e futuras parceiras sexuais longe da criança, simplesmente para não confundir o filho ou a filha. Se isso fosse dar uma freada na vida sexual dele, teria que lidar com isso, não é mesmo?

A cabeça de uma enfermeira apontou na porta que dava para as salas de exame.

— Sophie Sullivan?

Sophie ficou em pé e Jake levantou-se, a mão na cintura dela. A enfermeira olhou de um para o outro, inquisitiva.

Quantas vezes, ela imaginou, teria que ver essas mesmas perguntas silenciosas? *É esse o homem com quem você está? Como conseguiu isso? E como posso conseguir um igual?*

Pelo menos, pensou com uma pequena dose de gratidão, em vez de se intrometer e tomar conta de tudo, Jake esperava pacientemente que ela explicasse a presença dele ali.

No entanto, Sophie não tinha certeza se conseguiria explicar tudo, não sem usar palavras do tipo *apaixonada por ele para sempre e nunca vai me amar de volta...* e, claro, *um acidente de percurso*.

E foi por isso que tudo o que disse foi:

— Ele vai entrar comigo.

Sem vacilar um segundo, ele estendeu a mão:

— Jake McCann.

Os olhos da enfermeira se arregalaram enquanto o cumprimentava.

— Achei que o conhecia de algum lugar. Você está naqueles comerciais do McCann's Irish Pubs. É o dono?

Ele assentiu, mas, surpreendentemente, não prolongou a conversa sobre si mesmo. A maioria dos caras que Sophie namorara adoravam falar de si mesmos. Jake não poderia ser uma exceção, poderia?

A enfermeira levou-os para dentro da sala e olhou a ficha de Sophie.

— Vejamos, está aqui para ver a médica sobre uma possível gravidez. — Quando Sophie concordou, a enfermeira indagou: — Quando foi sua última menstruação?

Sentindo-se um pouco envergonhada em discutir esse tipo de assunto na frente de Jake, ela calculou rapidamente a data e informou à enfermeira.

— Vamos ver seu peso.

Fantástico! Tudo o que uma mulher queria: que o homem com quem estava transando visse seu peso. Ela esforçou-se para manter o queixo para cima enquanto tirava os sapatos e subia na balança.

— Parece que você já engordou quase cinco quilos.

Considerando que sua barriga ainda estava chapada, Sophie tinha quase certeza de que esses quilos extras estavam todos, até agora, em seus seios e em seus quadris.

Vendo seu óbvio descontentamento, a enfermeira enfatizou:

— Quatro a seis quilos é muito normal no primeiro trimestre. Principalmente na primeira gravidez, quando ainda não está acostumada com as mudanças no seu corpo. Ela deu um recipiente de plástico a Sophie. — Vamos precisar de uma amostra de urina; depois, coloque esta camisola para se preparar para ver a médica.

Durante todo o tempo, Jake permaneceu sentado na cadeira azul do canto, parecendo perfeitamente à vontade em estar no consultório de uma ginecologista. Seus olhos negros observavam cada movimento dela, mas Sophie não conseguia interpretar a expressão deles. Sinceramente, não queria saber o que ele estava pensando. Pois, mesmo estando nervosa por se achar ali com ele, de repente percebeu estar ainda mais nervosa com a gravidez.

Agora que começara a pensar sobre estar grávida, realmente queria esse bebê. Torcia para que a médica dissesse que estava tudo bem com o bebê depois de examiná-la. Tudo o que queria agora era um bebê saudável.

Você quer o Jake também, teve que admitir enquanto terminava de encher o recipiente e o colocava no balcão do banheiro para ser levado pelo técnico do laboratório. Fora por isso que havia concordado com os sete dias que ele propusera.

Porém, ela queria muito mais do que o corpo dele. Queria seu coração... e que abrisse uma janela que levasse para dentro de sua alma.

Sophie suspirou, sabendo que já havia passado da hora de abrir mão desses sonhos e focar em algo mais real. Como a criança que estava dentro dela. E o fato de ela e Jake terem que dar um jeito de trabalhar juntos como pais durante os próximos 50 anos.

Um minuto depois, tinha suas roupas dobradas cuidadosamente e vestia a camisola do hospital. Segurou-a bem apertada na parte de trás quando saiu do banheiro, o que era ridículo, uma vez que Jake já a vira nua mais de uma vez.

A médica já estava na sala batendo papo com Jake e o coração de Sophie parou de bater por um segundo ao vê-lo encantar facilmente a mulher que era sua ginecologista desde a adolescência.

— Sophie! — Marnie veio na direção dela e abraçou-a carinhosamente. — E então, que surpresa maravilhosa!

Sophie grudou um sorriso no rosto.

— Sim, realmente é maravilhoso.

A médica bateu a mão sobre a mesa forrada.

— Suba aqui e faremos um exame rápido para ver se tudo está progredindo bem. — Ela apontou para a ficha de Sophie. — Os níveis de HCG na sua urina estão de acordo com 12 semanas.

Aliviada pelos testes feitos em casa não estarem errados sobre a gravidez, Sophie escorregou sobre a mesa e colocou os pés nos suportes de metal, tentando não pensar no quanto tudo isso deveria parecer estranho para Jake.

— Jake, por que não fica em pé aqui? Vai ser mais fácil para ver o monitor do ultrassom.

Ele posicionou-se ao lado dela, colocando a mão sobre seu ombro. Sorriu para ela e Sophie ficou surpresa ao sentir-se mais confortada do que envergonhada pela presença dele. Havia planejado vir sozinha. Mas, repentinamente, estava muito feliz por ele se encontrar ali.

Marnie pegou algo grande, grosso e azul-claro. Já estava coberto com uma camisinha e uma sensação absurda de vergonha tomou conta de Sophie ao pensar em Jake vendo a médica colocar aquilo dentro dela.

— Não vai doer — a médica informou —, apesar de ser um pouco gelado no início.

O transdutor vaginal lubrificado deslizou facilmente para dentro e ela pôde jurar que os olhos de Jake piscaram nervosamente ao ver a provação dela. A médica digitou uma senha na máquina de ultrassom e o monitor transformou-se em uma figura que parecia um céu noturno, com nuvens e estrelas esparsas.

— Vamos lá, vamos ver onde o garotinho — ou garotinha — está escondido.

O coração de Sophie acelerou-se, mas, antes que pudesse alcançar a mão de Jake, ele já tinha colocado a sua sobre a dela. Eles seguraram-se um no outro com força, nenhum dos dois respirando até Marnie sorrir.

— Ah, aqui está. — A médica apontou para um pontinho pulsante na tela. — Esse é o batimento cardíaco.

Os olhos de Sophie se encheram de lágrimas. Havia um novo coração batendo dentro dela, que ela e Jake tinham feito juntos.

— Uau. — A voz embargada de Jake ecoou exatamente os sentimentos dela. — Fantástico!

Marnie sorriu para ele e, em seguida, para Sophie.

— Sempre é. O tamanho do feto também parece perfeito para três meses. Sophie achou que tivessem terminado, mas, em vez de tirar o transdutor de dentro de seu corpo, a médica continuou:

— Gêmeos geralmente pulam uma geração, mas vou dar uma olhada para ter certeza de que não tem mais ninguém aqui.

— Gêmeos? — Jake repetiu.

— Alguém mais?— Sophie podia perceber o quanto sua voz estava alterada.

— Apesar de ser improvável, certamente não é impossível. — A médica deu um gritinho de felicidade — Bem aqui! Temos outro batimento cardíaco!

Jake apertou a mão de Sophie com tanta força que ela quase gritou. Mas era difícil registrar a dor quando estava ocupada tentando se recuperar do choque pelo que a médica acabara de dizer. Marnie mexeu o transdutor dentro dela um pouco mais.

— Sim. Parece que temos só dois.

Só dois?

Ah, Deus, quando fizera aquelas declarações para Jake e para sua irmã, sobre fazer tudo sozinha, ela estava pensando que seria só um bebê, e não dois!

Sophie olhou para Jake cheia de pânico. A pele bronzeada dele estava pálida como jamais vira, na verdade, mais pálida do que tinha ficado logo após ter-lhe dado a notícia de que estava grávida.

Marnie retirou o transdutor vaginal, então deu a ela a foto que tinha imprimido.

— Para seu *scrapbook*. Está tomando alguma vitamina pré-natal?

Sophie balançou a cabeça enquanto se sentava, sentindo-se um pouco tonta. Estava tão feliz por ter Jake em pé, firme atrás dela.

— Não estava planejando ficar grávida.

A expressão de Marnie não demonstrou qualquer surpresa ou julgamento.

— Tudo bem. Aqui está a receita das que mais gosto de indicar às minhas pacientes. — Ela deu uma sacola à Sophie, que tirou de dentro de um dos armários. — Aqui estão algumas outras coisinhas que podem ser úteis. Mas devo avisar, por favor, não surte quando ler o livro O que esperar quando está esperando. Estou oferecendo-o como um recurso, não para alimentar quaisquer medos com relação à gravidez. — Ela sorriu para Sophie. — Você é uma mulher jovem e saudável, e, se olharmos para a história de sua mãe, podemos ter certeza de que não vai ter nenhum problema.

Sophie esforçou-se para respirar quando a médica perguntou:

— Vocês dois têm alguma pergunta para mim?

Meu Deus, sim. Sophie tinha milhões de perguntas para as quais precisava de respostas. A maioria das quais começava com: *Como isso pôde ter acontecido comigo quando outras pessoas têm transas de uma só noite o tempo todo?* Mas, por ora, ela balançou a cabeça e disse:

— Provavelmente vou ter algumas perguntas assim que ler tudo isso.

Os livros sempre a fizeram se sentir melhor; ela sempre achara que o conhecimento seria capaz de curar praticamente qualquer doença. Desta vez, no entanto, não tinha tanta certeza de que os livros tivessem esse poder mágico.

— E você, Jake?

— Ela precisa ser muito cuidadosa? Sabe, será que precisa ser cuidadosa para não se esforçar demais?

Marnie balançou a cabeça.

— A Sophie pode levar a vida do mesmo jeito que está agora. Comendo bem, descansando e fazendo exercícios.

— E sexo?

A pergunta dele tirou Sophie de seu estado de pânico. Agora, em vez disso, estava mortificada.

— Fico feliz por ter perguntado isso, Jake — Marnie comentou. — É um assunto sobre o qual quase todo casal passando pela primeira gravidez tem dúvidas. Garanto a você que relação sexual não faz mal nenhum. Na verdade, muitas pacientes dizem que é ainda melhor durante a gravidez. — Ela sorriu para os dois. — Fiquem à vontade para mandar e-mails para o consultório toda vez que tiverem dúvidas. E vejo vocês de novo daqui um mês.

A porta fechou-se atrás da médica, deixando Jake e Sophie sozinhos.

Ela não fazia ideia de que rumo tomar. Pensava já ter passado do estágio de lhe puxarem o tapete, mas ouvir que estava grávida de gêmeos era outro nível de surpresa.

Sabia que tinha que sair da maca e colocar as roupas de volta, mas não tinha certeza se suas pernas teriam forças para mantê-la em pé.

— Dá para acreditar? — A pergunta dela era mais um murmúrio do que outra coisa, como se estivesse com medo de falar em voz alta. Mas tinha que desabafar: — Gêmeos.

Jake não havia saído de trás dela e tudo o que queria era recostar-se nele e nunca mais sair dali. Graças a Deus ele estava ali. Se tivesse que fazer isso sozinha, ela...

— Isso resolve tudo. Agora, definitivamente, vamos nos casar.

— O quê? — Sophie saltou da maca, sem se importar com o vão completamente aberto na parte de trás do avental de algodão. — Não!

A expressão no rosto de Jake se fechou completamente.

— Sim.

— Mas você me prometeu sete dias.

— Vamos ter gêmeos, Sophie. Não dá para você fazer isso sozinha. Não com dois.

Ela balançou a cabeça.

— O ponto não é esse.

Ele parecia frustrado. E tão chocado quanto ela.

— E qual é o ponto, então? São só sete porcarias de dias. Nós dois já sabemos que vai se casar comigo.

Como poderia dizer: *O ponto é que se me arrastar até Vegas hoje e me obrigar a dizer "sim" porque estou carregando seus filhos, então nunca vai nem mesmo tentar se apaixonar por mim.*

Mas ela já não sabia que era melhor não dizer nada? Por que ainda estava esperando o impossível?

Sophie podia sentir o gosto da derrota, aquele amargor terrível na língua que já se tornara tão conhecido nos últimos dois meses e meio depois que Jake fizera amor com ela em Napa.

— Se não sabe por que esses setes dias são importantes — ela insistiu com voz trêmula —, então é o maior idiota do mundo.

Estava prestes a agarrar suas roupas e seguir em direção ao banheiro quando viu a expressão de Jake: estava absolutamente furioso. Mas, ao chegar mais perto, percebeu que havia mais do que raiva ali; ele parecia envergonhado.

E magoado. Terrivelmente magoado pelo insulto dela.

Sophie repassou todos os nomes que dera a ele nos últimos dias. Nenhum deles o tinha feito reagir tanto quanto a palavra *idiota*. Com todos os outros, ele tinha rido.

— Jake, eu...

A voz de Jake cortou-a como uma faca.

— Vou esperar você lá fora.

Ele desapareceu antes que pudesse chamá-lo de volta, antes de conseguir se desculpar por chamá-lo de idiota.

O espelho do banheiro a desprezou quando deu uma olhada em seus olhos arregalados, sua pele enrubescida, o reflexo sempre lá para evidenciar que estava estragando tudo. Ela, mais do que todo mundo, conhecia a força das palavras. Ficava enjoada só de pensar que tinha acabado de magoar Jake com uma palavra.

Tudo o que queria era amar e ser amada... e nunca estivera tão longe disso.

Jake não lhe dirigiu uma só palavra até parar em frente à biblioteca e ela tirar o cinto de segurança com pressa, para sair do carro dele.

— Fique quieta, princesa. — Cada palavra era uma bala mirada diretamente para ela. — Vai me deixar abrir a porcaria da porta para você dessa vez, e todas as vezes depois dessa.

Apesar de todas as vezes que o tinha provocado antes de agora, alguma coisa lhe dizia para não provocá-lo. Não nesse momento.

Ela encolheu-se diante da maneira que o chamara: *Idiota*. Era uma palavra que nunca tinha dito a ninguém, nem mesmo em seus momentos mais cheios de fúria. Ele sabia que ela não quisera dizer aquilo, que só tinha colocado para fora no calor do momento, não sabia?

Alguns segundos depois, ele abriu a porta do passageiro com força e inclinou-se para dentro para soltar o cinto de segurança dela. Precisou de cada milímetro do autocontrole que possuía para permanecer parada quando os músculos dele lhe roçaram a pele, quando o cheiro dele lhe preencheu os sentidos. Ele esticou a mão para ajudá-la a descer do carro e Sophie não teve opção a não ser aceitá-la.

— Jake — disse baixinho. — Sinto muito pelo que disse a você mais cedo. Estava brava. Não quis dizer aquilo.

Ele não reconheceu o pedido de desculpas dela.

— Oito horas hoje à noite. Esteja esperando por mim com suas malas prontas.

Antes que ela pudesse dizer a ele onde enfiar suas ordens, Jake puxou-a contra si e a beijou, com tanta força e, ao mesmo tempo, com tanta *finesse* que, mesmo que tentasse lutar contra ele, seu corpo lhe dizia para se entregar de uma vez por todas.

Afinal, era tudo o que sempre quisera.

Jake.

Mas aquilo não era suficiente; só satisfazer as necessidades de seu corpo. Não quando seu coração estava ao relento.

Ele soltou-a e voltou para o carro, afastando-se a toda velocidade da biblioteca antes que ela começasse a processar o que acabara de acontecer naqueles degraus.

— Quem era aquele?

Sophie tinha a mão sobre a boca, ainda formigando e quente pelo ataque furioso de Jake, quando se virou para sua colega de trabalho, surpresa. Tinha esquecido completamente que ela e Jake se achavam em público.

Ele sempre a fazia esquecer-se de tudo, menos dele.

Janice não esperou pela resposta dela antes de dizer:

— Não achei que existissem outros homens mais lindos do que seus irmãos por aí. — Ela balançou a cabeça sem poder acreditar. — Aquele é seu namorado?

Não, Sophie pensou à beira de uma histeria silenciosa, *é só o pai do bebê que vou ter logo, logo.*

Ah, meu Deus. Bebê, não.

Bebês.

Buscando forças nas profundezas, Sophie fingiu sorrir para a maior fofoqueira do sistema bibliotecário de São Francisco.

— Conheço-o desde sempre. Ele é um amigo íntimo da família.

Janice olhou-a como se fosse louca.

— Amigos? Isso é tudo o que são? — Ela franziu o cenho. — Nenhum dos meus amigos jamais me beijou assim.

Sophie deu de ombros, como se um beijo de um amigo fosse perfeitamente normal, e então olhou para o relógio.

— É melhor eu entrar.

Bem, pensou enquanto subia até as grandes portas da frente, talvez houvesse uma vantagem em Janice ter visto Jake. Pelo menos, quando a barriga começasse a aparecer, não teria que dar muitas explicações. Sua colega de trabalho se encarregaria de espalhar a notícia por ela.

CAPÍTULO QUINZE

Jake deu uma freada estridente no carro e parou em sua vaga atrás do McCann's.

Sophie estava certa: ele era mesmo um idiota.

E se seus filhos mal pudessem ler por causa dele?

Começou a suar frio só de pensar nos filhos passando pelo que tinha passado. A escola tinha sido um inferno: ainda lembrava-se sentado com outras crianças, na primeira, segunda e terceira séries, observando-os aprender a ler. Porém, independentemente de quanto tentasse, as palavras não faziam sentido para ele.

Era só mais uma coisa na qual era pior que os outros. Não era só o garoto pobre cujas roupas fediam ao cheiro de bebida e cigarro do pai; ele também era burro.

Tudo bem sempre ter tido facilidade com números, mas as palavras faziam parte de tudo, principalmente para conseguir terminar a escola. Jake mais faltava do que ia às aulas e tinha chegado à conclusão de que só o deixaram se formar porque os professores não queriam ver aquela figura estranha por mais um ano.

Quantas vezes já dissera a si mesmo, durante a adolescência, que aquilo não tinha importância? Que não precisava saber ler para ser um *bartender*?

No entanto, ser dono de um pub era uma coisa totalmente diferente de só trabalhar nele. E foi então que precisara encarar a realidade: se não aprendesse a ler, não teria a melhor chance de sucesso no negócio.

Nossa! Como fora um imbecil com aqueles primeiros professores particulares a quem contratara em segredo, um babaca tão presunçoso e hostil, aos 21 anos, que os fizera desistir, um após o outro. Finalmente, havia encontrado alguém que parecia estar mais fascinada pela sua farsa do que qualquer outra coisa. A Sra. Springs tinha quase 60 anos e fora rígida com ele de um jeito que nunca ninguém tinha sido antes, como se realmente se importasse se ele aprenderia ou não a ler.

Ainda podia se lembrar do dia em que as coisas finalmente começaram a fazer sentido. Tinha dado um beijo na boca de Helen Springs, que não ficou brava. Em vez disso, abraçou-o... e então lhe disse que o caminho ainda seria longo e árduo, mas que esperava que valesse a pena.

Ela acertou sobre a primeira parte. Jake continuou a "dar o sangue" com ela, e, mais tarde, quando ela se aposentou, com outros professores. Quanto mais o negócio crescia, com mais contratos e mais correspondências ele tinha que lidar. As pessoas sempre comentavam sobre a maneira como ele fazia quase todos os seus negócios por telefone ou pessoalmente, em vez de usar o e-mail. Achavam que esse fosse um "toque pessoal". Não lhe importava como chamavam aquilo, desde que ninguém soubesse a razão de ele raramente usar seu computador para qualquer coisa, exceto para planilhas e contas.

Pois é, ele sabia ler. Mas era difícil conseguir ler um livro e não conseguia se imaginar fazendo isso por prazer.

Enquanto Sophie vivia e respirava livros.

Ah, Deus, por favor — pegou-se rezando em silêncio —, *faça com que nossos filhos tenham o cérebro da Sophie, não o meu.*

Uma das garçonetes o viu sentado dentro do carro, agarrado ao volante como se fosse morrer, e acenou discretamente antes de afastar-se, quando percebeu que seu chefe estava realmente fora de controle.

Não só um pouco, mas *totalmente* fora de controle.

Saber que seria pai de gêmeos no outono o levaria à maior virada de sua vida. Tão grande, que não conseguia pensar em outra coisa a não ser prender Sophie a ele, fazer o que fosse necessário para ter certeza de que ela não o abandonaria, para garantir que ela e os filhos deles fossem saudáveis.

Jake começou a sair do carro quando, pelo canto dos olhos, viu a ponta do grosso livro sobre gravidez que a médica havia dado. Precisava lê-lo, precisava saber de tudo que poderia dar errado com a gravidez de Sophie, para ter certeza de que nada de mal jamais aconteceria com ela.

Obviamente que, ao folhear as páginas, centenas de palavrinhas riram na cara dele. *Tente nos ler agora* — cada uma daquelas palavras o desafiava. — *Boa sorte, seu fracassado!*

Se Sophie descobrisse que ele mal podia ler...

Tirou o livro do colo e o colocou no chão do carro. De qualquer maneira, não tinha tempo para ler isso agora. Sua assistente já tinha ligado várias vezes chamando-o para a meia dúzia de reuniões por telefone marcadas para hoje. Havia reuniões importantes às quais ele normalmente teria dado sua atenção total, emergências que apareciam nos novos pubs que o teriam feito pegar o próximo avião saindo de São Francisco... em vez de só tentar se livrar rapidamente de tudo aquilo e voltar para junto de Sophie.

20 horas

Se Jake estava pensando que ela faria as malas e esperaria por ele como uma garotinha, estava muito enganado. Assim que ele chegasse ao apartamento, ela lhe diria tudo o que estava pensando.

Só porque teriam gêmeos não significava que podia tratá-la como sua propriedade.

Sophie andava de um lado para outro na sala, sem tirar os olhos desaprovadores da porta.

21 horas

Fala sério! Ele nem mesmo conseguia chegar a tempo para pegar o fardo e carregá-lo para casa, feito um bárbaro! Será que significava tão pouco assim para ele? Nada doía mais do que ser esquecida. A vida toda ela fora invisível, não só para Jake, mas para todo mundo. Como uma "rata de biblioteca" feito ela, poderia competir com seus irmãos, maiores em tudo na vida? Ela nunca seria uma estrela de cinema, nunca faria a jogada vencedora no Torneio Mundial, nunca seria a gêmea maravilhosa e cheia de brilho.

Ela jurou que, assim que Jake tivesse a dignidade de aparecer à sua porta, nada a impediria de dizer tudo o que estava pensando sobre o que poderia fazer com os próximos seis dias que ainda faltavam.

Ok, talvez estivesse indo de um extremo ao outro, como uma louca, mas Jake poderia pelo menos ter o respeito de chegar com menos de uma hora de atraso para destruir sua vida.

22 horas

A cada minuto que passava, a raiva justificada de Sophie ficava cada vez maior e mais forte, até que, às 22 horas chegou ao limite. E foi aí que a ficha caiu: alguma coisa estava errada. Jake se mostrara tão firme com relação a controlar a vida dela nessa manhã que não podia ter desistido de tudo algumas horas depois. Principalmente porque era o tipo de homem que nunca desistia de nada.

E se ele estivesse machucado? E se estivesse precisando de ajuda enquanto ela desperdiçava um tempo precioso em seu apartamento, pensando coisas horríveis sobre ele?

Ninguém pensaria em ligar para ela se alguma coisa acontecesse com Jake. Ninguém sabia o quanto era importante para ela, que estava grávida dos filhos dele.

Sophie não tinha carro, já que era muito mais fácil alugar um toda vez que precisava. Mas a empresa de aluguel não tinha mais nenhum disponível nessa noite e, uma vez que Sophie não sabia muito bem o horário do ônibus, levou mais tempo do que gostaria para chegar à casa de Jake. Quando viu todas as luzes apagadas e ele não atendeu a porta, ligou para o pub. O *bartender* disse que Jake estava lá, mas no meio de uma emergência, e não poderia atender ao telefone.

Vinte e cinco minutos e dois ônibus depois, Sophie praticamente invadiu o McCann's, empurrando uma multidão de universitários, sem dar a mínima ao fato de nitidamente acharem que ela fosse louca.

— Cadê o Jake? — Ela quase puxou a camisa do *bartender* para conseguir a atenção dele.

O homem mal-humorado olhou-a do mesmo jeito que os universitários: como esse ela devesse estar num manicômio.

— Lá atrás.

A última coisa que esperava era ver Jake oferecendo um lenço de papel a uma jovem de cabelo rosa e azul. A garota assoou o nariz bem alto no momento em que Sophie viu que havia outras pessoas na sala. O casal era mais velho do que Jake. Velhos o suficiente para serem os pais da garota.

Ela parou de repente, mas não a tempo de impedir que Jake a visse.

— Sophie! — Ele disse alguma coisa ao casal, então se levantou e foi em direção a ela. Passou a ponta dos dedos sobre a pele dela enquanto tirava uma mecha de cabelos de seu rosto. — Está tarde. Sabe o que a médica disse sobre descanso. Deveria estar dormindo.

— Não consegui dormir. Fiquei preocupada porque você não apareceu. — Ela deu um sorrisinho. — E estava brava por ter me deixado esperando — admitiu. Dessa vez, foi ela quem alcançou o rosto dele. Quantas vezes não quisera tocá-lo desse jeito nos últimos anos? Uma sensação gostosa tomou conta dela quando percebeu que agora podia fazer isso. — Agora que sei que não foi isso o que aconteceu, me diga o que posso fazer para ajudá-lo enquanto... — ela olhou por sobre os ombros dele, em direção às pessoas no escritório — administra as coisas.

— Tudo o que eu quero é que vá descansar.

Estava prestes a dizer que não estava cansada, que o dia dele provavelmente fora centena de vezes pior do que o dela, quando Jake franziu o cenho.

— Como chegou aqui?

— De ônibus. — Sophie achou melhor não mencionar os poucos quarteirões escuros entre a parada final do ônibus e o pub.

Ele praguejou.

— Devia ter ficado em casa.

Será que ele não conseguia perceber?

— Tinha que ter certeza de que você estava bem.

Jake ainda parecia zangado com a jornada dela no meio da noite pelo sistema de transporte público de São Francisco, mas, em vez de continuar a brigar com ela, enroscou os dedos nos cabelos delas e puxou-a para mais perto, encaixando a cabeça de Sophie embaixo do queixo.

— Meu Deus, você é um amor! — e beijou-lhe a testa.

Nesse momento, o *bartender* atravessou a porta.

— Os clientes estão a ponto de fazer um motim se não forem servidos logo. A Betty está muito além do limite que pode aguentar.

Sophie colocou a mão sobre a boca de Jake antes que ele pudesse responder.

— Deixe comigo. — Ela não esperou a aprovação de Jake antes de pegar um avental preto do puxador na parede e amarrá-lo na cintura. — Tem um bloco e uma caneta? — perguntou ao *bartender*.

Contente, ele colocou um bloco nas mãos de Sophie e, 30 segundos depois, ela estava em plena curva de aprendizagem, tentando ser uma boa garçonete em um pub irlandês, enquanto os clientes não faziam outra coisa a não ser gritar seus pedidos e pedir para encherem seus copos de novo.

Sophie nunca tinha feito parte de algo tão barulhento, tão cheio de movimento frenético. Não, deu-se conta enquanto enchia uma bandeja de cervejas espumantes, não era verdade. Crescer como a caçula de oito crianças tinha sido tão barulhento e tão frenético quanto aquilo ali.

Não era à toa que estava amando cada segundo.

Quando Jake conseguiu tirar Sophie do salão, eram quase 2 horas da manhã e estavam para fechar. A certa altura, o *bartender* enfiou a cabeça de novo na porta para dizer que ele "devia contratar essa garota em tempo integral", mas Jake ainda estava concentrado em fazer sua jovem funcionária buscar a ajuda de um terapeuta. Um programa de tratamento completo seria o ideal, mas tinha experiência suficiente com alcoólatras para saber que fazer pressão para que fossem na direção correta geralmente os levava à direção contrária.

Sempre fora cuidadoso ao monitorar os funcionários para evitar abuso de drogas e para garantir que todos os seus gerentes fizessem o mesmo, mas Samantha tinha se escondido bem. Tão bem que os pais precisaram vir até ali e pedir que ele a demitisse, para que pudesse ver o que estava bem embaixo de seu nariz.

Ele sentiu-se culpado; sabia que, se não estivesse tão obcecado por Sophie nesses últimos meses, poderia ter notado as mudanças no comportamento de Samantha.

O objeto de sua obsessão estava limpando as mesas com um pedaço de pano. Ela puxara os cabelos compridos para trás, em um rabo de cavalo, e alguns fios de cabelos caídos emolduravam seu rosto corado. A beleza dela lhe tirou o fôlego, como sempre, tornando impossível fazer outra coisa a não ser olhar fixamente para ela, até que Sophie tentou colocar uma das cadeiras sobre a mesa.

— Você não pode ficar levantando as coisas. — Ele tirou a cadeira dela e colocou-a para cima. — Pode deixar que eu faço o resto. Vá se deitar lá no escritório.

Jake sabia que deveria agradecer a ela por tê-lo ajudado num momento difícil, que deveria ter pedido desculpas por agir como um imbecil de manhã, quando a deixara na biblioteca. Em vez disso, estava dando ordens a ela.

No entanto, em vez de retrucar, ela simplesmente perguntou:
— Está tudo bem?

Meu Deus, ela realmente era um doce. E muito mais complacente do que ele merecia. Ninguém jamais se preocupara com ele antes. Ela seria a mãe... e a esposa perfeita.

Deus sabia que Sophie não merecia uma vida presa a um idiota como ele.

Mas não havia como abrir mão dela, pois ele era exatamente o cafajeste egoísta que ela o acusara de ser.

Jake continuou a colocar as cadeiras sobre as mesas.

— Agora não, mas espero que fique.

— Seus funcionários falam muito bem de você.

— Quando se é dono de um pub — ele explicou, passando a mão sobre o cabelo —, é preciso ter muito cuidado com as coisas.

— Está falando sobre ter acesso às bebidas alcoólicas?

— As pessoas podem realmente ficar viciadas. Muito fácil.

— Outro dia me dei conta de que nunca vi você bêbado. — Ela o fitou com intensidade. — É de propósito, né?

Ele concordou e Sophie colocou a mão sobre o braço dele.

— Tenho certeza de que fez tudo o que pôde para ajudar aquela moça no seu escritório. O resto é com ela.

Jake chegara a duvidar de que alguma coisa pudesse ajudá-lo a sentir-se melhor sobre essa noite... mas não contara com Sophie. A questão era, pensou ao vê-la bocejar, se algum dia descobriria a maneira de se tornar o homem com quem ela também pudesse contar.

— Já passou muito do seu horário de dormir. — Ele alcançou a mão dela e finalmente disse o que deveria ter dito há muito tempo. — Obrigado, Sophie.

Ela colocou a mão sobre a dele.

— De nada. — E sorriu enquanto entrelaçava os dedos nos dele. — Me diverti.

Ele não conseguia definir o que estava sentindo enquanto caminharam até o carro, em silêncio. E quando ela adormeceu, assim que ele apertou o acelerador, mexendo-se no assento para que a mão ficasse no colo dele, Jake sentia-se agradecido por muito mais do que Sophie tê-lo ajudado no pub essa noite.

O que, perguntou-se em silêncio, tinha feito de bom para merecer essa semana com ela?

—∞—

Jake carregou Sophie para dentro de casa, adorando o jeito como ela se aninhou mais perto dele. Jurou que tudo o que faria era colocá-la na cama e obrigar-se a se afastar dela, mesmo diante de todo o calor e de toda a maciez dela.

Porém, quando lhe tirou as roupas e os sapatos e colocou-a deitada na cama, antes que pudesse colocar as cobertas sobre aquelas curvas nuas maravilhosas, Sophie levantou os braços e os colocou em volta do pescoço dele.

— Fique. — Ela mal acabara de fazer o pedido quando sua língua tocou o lóbulo da orelha de Jake, da mesma maneira que ele a provocara na sala de espera do consultório médico. A manhã que passaram juntos parecia ter sido mil anos atrás.

Meu Deus, não havia nada que quisesse mais do que ficar com ela, mas não podia se esquecer do que a médica tinha dito sobre comer e descansar. Ele já a mantivera acordada até muito tarde, em pé, provavelmente sem comer o suficiente para a quantidade de energia que gastara servindo as mesas do pub.

— Você precisa descansar.

Sophie finalmente abriu os olhos e a pouca luz do luar que entrava no quarto foi o suficiente para Jake ver neles seu desejo e sua necessidade.

— Preciso mais de você.

Jake fez a única coisa que podia naquele momento: entregou-se ao desejo de beijá-la.

Ela gemeu nos lábios dele, enquanto as línguas se tocavam. Ele queria ser gentil, queria ir devagar, mas, com aquelas curvas nuas já embaixo dele, Jake não tinha a menor chance de fazer outra coisa a não ser encher as mãos com aqueles seios sensíveis, abocanhá-los, um de cada vez, enquanto Sophie se arqueava diante dele.

Os seios dela eram tão perfeitos, de matar. Não conseguia imaginar como poderia manter as mãos e a boca longe deles à medida que a gravidez progredisse e eles ficassem maiores.

Talvez ela tivesse razão, pensou enquanto lhe beijava os seios e descia em direção à barriga. Talvez ele tivesse mesmo um fetiche com a mulher grávida.

Mas só com Sophie.

Inspirou o cheiro doce de seu sexo molhado ao se ajoelhar no chão para acomodar-se entre as pernas dela, e Sophie, instantaneamente, abriu as coxas. Abaixando a cabeça até os pelos encaracolados e úmidos, ele deslizou a língua, para depois enfiá-la em seu sexo. As mãos deles se juntaram e, enquanto entrelaçavam os dedos, Sophie gritou e encaixou os quadris na boca de Jake.

Um dia ele jurara venerá-la da maneira como merecia ser venerada. Devagar e longamente, alimentando o fogo do desejo dela até que lhe implorasse para parar. Porém, o autocontrole pelo qual Jake McCann era tão famoso tinha desaparecido na primeira vez em que puxara Sophie e beijara seus lábios macios. Nessa noite, não seria diferente e a única coisa a fazer era abrir o zíper da calça jeans, com uma das mãos, antes de puxar os quadris dela para a ponta da cama e penetrá-la feito um homem possesso.

Não havia palavras entre eles nessa noite, não havia espaço para nada além da respiração ofegante e os gemidos de prazer. Ele encheu as mãos com os seios dela antes de descer até a barriga.

Jake ficou petrificado ao se dar conta das vidas que ela carregava dentro de si, e os olhos dela se abriram lentamente. Sophie encobriu as mãos dele com as dela e então o olhou com um sorriso tão cheio de amor; o nó no peito dele se apertou, fazendo-o pensar que seu coração se partiria enquanto olhava para aquela mulher maravilhosa sob ele, agarrada em volta de sua cintura.

Qualquer controle que pudesse ter encontrado para possuí-la com mais calma, para colocar o prazer dela em primeiro lugar, escapou-lhe entre os dedos. Precisava deslizar as mãos até as nádegas dela, puxá-la, segurá-la com força antes de penetrá-la, enfiar seu pênis o mais fundo que ela pudesse aguentar. Os músculos do sexo dela se apertaram em volta de seu membro e, quando esse movimento íntimo já conhecido progredia em direção ao clímax, Jake jogou a cabeça para trás e gozou com um grunhido.

Minutos depois, ao tirar o restante das roupas e se enrolar em Sophie, quase adormecida em seu peito, Jake murmurou as palavras que o queimaram dentro do peito durante tantos anos.

— Amo você.

CAPÍTULO DEZESSEIS

Sophie acordou completamente sozinha no meio da cama de Jake. Enquanto bocejava e se espreguiçava, alguma coisa ia e voltava à sua memória, um sonho com Jake dizendo-lhe algo muito importante. Esforçou-se para clarear as lembranças, mas, na noite anterior, tinha ficado exausta e completamente saciada por aquela transa incrivelmente apaixonada, e não conseguia se lembrar dos detalhes de um sonho à deriva.

De qualquer forma, a noite anterior tinha sido uma delícia. Ela se divertira fingindo ser uma garçonete durante algumas horas, mas quando pedira a ele que ficasse na cama e, depois, ele fizera amor com ela de um jeito tão lindo... Nossa! Sua pele se arrepiava toda só de pensar nos lábios dele sobre ela, as mãos acariciando-lhe a pele, e seu...

Ela enrubesceu e afastou o grosso cobertor de cima do corpo. Ainda não tinha trazido suas roupas, assim, depois de uma rápida chuveirada e um tempinho com a escova de dentes que Jake deixara para ela, Sophie vestiu outra camisa social dele.

Caminhou pelo corredor até a sala e ficou surpresa ao ver Jake sentado à mesa de jantar, com planilhas espalhadas à sua frente.

— Bom dia. — De repente, sentiu-se tímida, apesar de estar muito feliz em vê-lo. Como sempre.

Ele empurrou a cadeira para trás, levantando-se.

— Dormiu bem?

— Sempre durmo bem com você. — Ela corou de novo diante do que acabara de admitir.

Felizmente, tudo o que ele disse foi:

— Que bom. Fico feliz. Fiz algumas coisas de café da manhã para você. — Ele beijou-a de leve na testa antes de passar na frente dela e ir em direção à cozinha.

Na primeira vez que cozinhara para ela, Sophie não quisera admitir o quanto ele fora carinhoso. Agora, perguntava-se por que tinha tentado negar isso, especialmente quando nenhum outro homem jamais cuidara dela da maneira como Jake fazia. Até mesmo a forma como a beijara na testa era carinhosa. Tão carinhosa a ponto de parecer que não estava com ela só pelo seu corpo — ou pelos filhos crescendo em seu ventre —, mas porque realmente gostava dela.

Sabia que precisava fica esperta e se lembrar de manter-se alerta durante os próximos dias, até completar seu lado do acordo e os dois irem cada um para o seu lado. Mas, a cada segundo, ficava mais e mais difícil.

A noite anterior, na cama, tinha sido fantástica. Passional. Intensa. Maravilhosa. Principalmente quando ele havia parado e colocado a mão sobre a barriga dela, olhando-a deslumbrado.

Aquilo deveria ser a prova do que ela já sabia ser verdade, certo? Que ele só a queria ali com ele por causa dos bebês? No entanto, parecia ser exatamente o oposto; que parte da razão de ele estar tão feliz com a gravidez era por causa *dela*.

E também o jeito como ficara tão contente ao vê-la quando aparecera no pub na noite anterior. E a maneira como a segurava bem perto depois de fazerem sexo, mesmo depois de já ter saciado seu prazer e poder simplesmente sair da cama e deixá-la sozinha.

Seus pensamentos foram interrompidos pelas palavras de Jake:

— Vai levar só um minuto para esquentar tudo.

Vendo o autêntico banquete que ele havia preparado, Sophie balançou a cabeça.

— Não consigo comer tudo isso. — Havia ovos, panquecas, frutas, salsichas e torradas suficientes para alimentar uma família inteira.

— Impossível você ter comido o suficiente na noite passada. Queria ter certeza de que não vai ficar com fome hoje de manhã.

— Você estava lá quando subi na balança da médica ontem — ela brincou. — Não estou exatamente definhando.

Ele não sorriu.

— Você está perfeita, Sophie.

Ela afundou-se na cadeira do balcão da cozinha. *Perfeita*. Será que ele tinha mesmo dito isso? E, mais ainda, será que realmente queria dizer aquilo? Será que realmente achava que Sophie Sullivan, a *Boazinha*, a sem-graça, era mesmo perfeita? Além do fato de que teria seus filhos?

Ela engoliu em seco, então olhou por sobre os ombros dele em direção à mesa de jantar.

— Em que está trabalhando?

Ele deslizou os pratos de comida para dentro do forno.

— Acabamos de instalar um novo sistema de controle para todos os pubs. Tem um monte de *bugs* nos dando problema.

Sophie sentiu-se envergonhada por, até a noite anterior, nunca ter percebido o quanto ele trabalhara para construir seu negócio. Jake sempre fazia tudo parecer tão fácil. O que mais não sabia sobre ele?

— Como você começou com os pubs? — Ela não conseguia se lembrar de uma época em que não fosse dono deles.

Jake ficou surpreso com a pergunta.

— Acho que você era bem novinha quando eu comprei e abri o primeiro McCann's, hein? Sempre trabalhei em pubs, onde quer que meu pai estivesse. Acumulei toda a experiência ao longo dos anos e, quando tive a chance de fazer uma proposta a um dono com uma dívida a pagar, aproveitei.

— Quantos anos você tinha?

— Vinte e um.

— Uau, é bem cedo para ser dono de um restaurante.

— Acho que sim — ele concordou —, mas, a essa altura, já estava trabalhando em pubs desde sempre.

— Você é muito bom em fazer tudo parecer tão fácil, mas — ela apontou com a cabeça para as planilhas — estou começando a perceber o quanto isso dá trabalho.

— É só comida e bebida. Qualquer um consegue fazer. Até mesmo um cara como eu.

Ela franziu o cenho, sem gostar da maneira como ele falava de si mesmo, como se essas conquistas incríveis não valessem nada.

— Jake, não é possível que não consiga ver o quanto...

— A comida está pronta. — Ele deslizou o prato pelo balcão, na direção dela.

Sophie fez uma careta diante desse hábito de sempre interrompê-la toda vez que pareciam estar à beira de algo importante.

— É tão irritante como sempre faz isso.

Jake colocou um pouco de comida para si mesmo, então veio sentar-se perto dela, sem fazer nenhum comentário.

— Você ao menos imagina o que sempre faz que é tão irritante? — ela quis saber.

— Não.

Ela quase gargalhou.

— Tão típico de um homem.

— Obrigado.

— Não foi um elogio. — Ela enfiou um pedaço de torrada na boca e mastigou-a, com medo de dizer mais alguma coisa da qual pudesse se arrepender mais tarde.

Jake olhou para ela, mal escondendo sua fascinação.

— Está com um pouco de geleia de morango bem aqui. — Ele esticou a mão e passou o dedão pelo rosto dela, indo direto até os lábios e, nesse momento, Sophie chocou a ambos quando chupou a ponta melada do dedão dele, lambendo a geleia.

Os olhos dele escureceram.

— Vim para cá para poder trabalhar, assim não atacaria você de novo.

A respiração dela já estava ofegante quando disse:

— Quem disse que não quero ser atacada?

Jake afastou as mãos dela e fechou os olhos, a ponto de perder o controle.

— Sophie.

Murmurou o nome dela feito um aviso, mas Sophie sabia que ele a queria tanto quanto ela a ele; dava para ver não só pela ereção que começava a erguer suas calças, mas também pela tensão no rosto dele enquanto tentava se controlar.

Sem querer pensar, sem querer encarar nenhuma de suas preocupações nem um minuto a mais, tirou rapidamente a camisa dele, jogando-a no chão. Não podia acreditar no quanto parecia natural não só levantar-se e sentar-se sobre os quadris dele, mas fazer isso enquanto estava completamente nua.

— E você? — Ela inclinou-se para a frente, pressionando os lábios ao lado do pescoço dele, lambendo-o até chegar à ponta da orelha, antes de sussurrar: — Acha ruim ser atacado?

— Deus, claro que não.

Tão rápido quanto ela tirara a camisa e montara nele, Jake abaixou as calças e penetrou-a. Ela perdeu o fôlego diante da sensação de estar conectada a ele dessa forma, tão completa, a ponto de sentir a explosão do prazer correndo em suas veias.

Sophie nunca se imaginara fazendo algo desse tipo, transar em cima de um banquinho no meio do café da manhã; mas ter intimidade com Jake parecia tão natural. Enlaçou as pernas e os braços ao redor dele e cavalgou os espasmos de prazer que se alastravam pelo seu corpo, enquanto ele segurava seus quadris com as mãos grandes, cada vez mais fundo dentro dela, numa sinfonia sincronizada de movimentos.

Sophie queria ficar assim com ele durante horas, memorizando a beleza de seus músculos rígidos embaixo dela, porém, quando Jake enroscou uma das mãos em seus cabelos, beijando-lhe a boca com força, não teve outra escolha a não ser segui-lo até o clímax... rodopiando em um mundo cheio de cores fortes e mais brilhantes do que jamais vira antes.

Sophie o deixava maluco. Não só a cada vez que gozavam juntos, mas também de outras maneiras, como, por exemplo, o jeito como se aconchegou mais perto dele, deu uma risadinha e disse:

— Isso foi divertido.

— Divertido? — Ele fez uma expressão que era a típica personificação do amante magoado. — É isso que sou para você?

Ela riu de novo e, com o membro dele ainda dentro dela, as vibrações eram gostosas. Muito gostosas.

— Ah! — Os olhos dela se arregalaram quando o sentiu pulsando dentro dela de novo. — Sempre achei que vocês precisavam de um tempinho para se recuperar.

Jake sentia tesão perpétuo ao redor dela e sabia que levaria muito tempo para precisar se recuperar por fazer amor com ela. Mas, agora, tinha que pensar mais do que em si mesmo e em suas próprias necessidades.

— Ainda não comeu seu café da manhã.

Ao perceber que ela tentaria argumentar e convencê-lo a transar com ela de novo, tirou-a de seu colo, relutante.

— Pelo jeito, só há uma maneira de fazê-la comer. — Em vez de colocá-la de volta na cadeira, ele puxou as calças para cima, então a mudou de posição, para que ficasse nua sentada no colo dele. Puxou o prato e pegou um pedaço de panqueca com o garfo. — Abra a boca, princesa.

Sophie olhou-o por sobre os ombros com surpresa, mas, quando seus braços a apertaram ainda mais na cintura e ele grunhiu: "Coma", ela deixou que lhe desse a panqueca.

Depois de algumas mordidas, ela disse:

— Nunca comi café da manhã nua. — E deu um olharzinho sem-vergonha para ele. — Estou gostando.

Jake percebeu que não a chamava de Boazinha há dias, não tinha nem mesmo se lembrado do apelido dela. Ainda fazia jus a ela para algumas coisas, mas, para outras...

— Eu também.

No colo dele, ela gemeu e Jake sabia que, se não fizesse alguma coisa rápido para tirar o sexo da cabeça dos dois, ia possuí-la em cima do balcão da cozinha em 30 segundos. Tudo bem que a médica dissera que sexo não faria mal. Mas não havia como a mulher imaginar a quantidade de sexo de que estavam falando.

— Me conte quando resolveu ser uma bibliotecária. — Ela pareceu incomodada pela pergunta pessoal dele, os músculos enrijecendo sobre seu colo enquanto Jake lhe acariciava o braço. — Eu me lembro de você sempre com o nariz enfiado em um livro.

— Sempre amei os livros — ela disse baixinho. — Adoro tê-los por perto. Amo me perder em uma história, em um mundo. Adoro poder me tornar qualquer pessoa, poder viver qualquer fantasia.

A palavra *fantasia* deveria ter enchido o recinto de tensão sexual novamente, mas Jake tinha acabado de perceber o quanto era um idiota, como ela havia dito no dia anterior. Deveria ter lhe perguntado sobre qualquer outra coisa: família, hobbies ou comida favorita. Não sobre livros.

Quando a tinha em seus braços, Jake esquecia-se temporariamente das diferenças entre ambos: que ela fora para Stanford enquanto ele mal conseguira um diploma da escola secundária, cantando suas professoras para que não o deixassem repetir o ano.

Claro que queria saber mais sobre ela; não podia passar esse tempo todo com ela e não querer isso. Mas ouvi-la falar de sua paixão pelos livros somente servia para lembrá-lo da incomensurável diferença entre eles.

— Não posso acreditar que nunca lhe perguntei qual é seu livro favorito. — Ela sorriu para ele. — Já perguntei para praticamente todo mundo que conheço.

Jake tirou-a do colo.

— Acho que tem que se arrumar para o trabalho, né?

Ela franziu a sobrancelha diante da brusca mudança de humor dele.

— Daqui uma hora.

Agindo como se não percebesse que estava sendo um canalha, ele, de propósito, virou as costas para ela e foi em direção à pilha de trabalho sobre o qual quebrava a cabeça antes de ela acordar.

— Me avise quando precisar que eu levo você.

O arranhão alto das pernas do banquinho da cozinha sobre o chão de madeira veio um pouco antes de Sophie argumentar:

— É só isso mesmo que esta situação é pra você? Tudo bem fazer sexo maravilhoso o tempo todo, mas toda vez que tento conversar sobre qualquer coisa com você, até mesmo sobre algo ridiculamente simples quanto seu livro favorito, você sai andando sem responder? Como pode imaginar que vai casar comigo se formos estranhos em tudo, exceto na cama? — A mágoa emanava de cada palavra dela.

Tudo o que ele queria era fazê-la feliz... mas não tinha a mínima ideia de como fazer isso.

— Eu me recuso a ter uma vida dessas! Para que nos darmos ao trabalho de passar os próximos dias juntos quando nada vai mudar?

Ela saiu correndo para o quarto. Antes que pudesse fechar a porta na cara dele, Jake enfiou o ombro e pegou a mão dela. Ela mesma acabara de dizer que não suportava a maneira como ele a ignorava, mas será que não podia ver que, se fugisse dele, se fechasse seu coração, seria ele quem ficaria absolutamente destruído?

— Ligue para a biblioteca. Diga que vai tirar o dia de folga.

Sophie olhou-o como se tivesse ficado absolutamente louco.

— Do que está falando? Por que faria isso?

Ela tentou empurrar os braços dele e ele não a queria deixar escapar, mas sabia que seria pior se não deixasse. Que droga! Ele não tinha a intenção de ficar dando ordens a ela. Pretendia usar esses sete dias para encantá-la, não para lhe dar razões para se afastar dele. No entanto, o desespero para mantê-la por perto tomava conta de Jake, tornava cada vez mais difícil manter sua mente limpa para fazer a coisa certa de uma vez por todas.

— Quero passar o dia com você.

A emoção brilhou nos olhos dela e Jake torceu para que isso fosse um novo sinal de esperança, um sinal de como ela se sentia em relação a ele. Mas tudo o que ela perguntou de volta foi:

— Por quê?

— Para me dar a chance de provar a você que temos mais em comum do que só o sexo.

— Jake, não acho...

Ele rangeu os dentes e forçou-se a dizer:

— Concorde em vir e juro que não toco em você hoje. — Ainda que fosse matá-lo não fazer isso de novo. O nó no peito se apertou enquanto Sophie pensava em seu apelo desesperado, e ele sabia que ainda não havia dito a única coisa que precisava dizer. — Por favor.

CAPÍTULO DEZESSETE

Como Jake sabia que andar de bondinho era uma de suas coisas favoritas?

Sophie não teve outra opção além de sorrir quando o vento passou por seus cabelos. Uma criança, de mãos dadas com a mãe na calçada, acenou e Sophie acenou de volta.

O fato de ele querer passar o dia inteiro com ela já fora uma surpresa e tanto. Mas não esperava que fosse levá-la até Ghirardelli Square para comprar dois ingressos e fazer o passeio mais turístico de São Francisco... ou que fosse segurar a mão dela o tempo todo.

Ainda estava reticente em confiar nele de novo depois da maneira como ele tinha se afastado dela de manhã, mas já não o sentia tão tenso ao seu lado. Desde que ameaçara terminar aqueles sete dias mais cedo, o músculo do maxilar dele não parara de tremer.

Sophie puxou-lhe a mão para que olhasse para ela.

— Faz muito tempo que não ando de bondinho. — Ela sorriu para ele. — Obrigada!

Ficou feliz ao ver um pouco da tensão desaparecer dos ombros de Jake.

— Toda vez que vejo um, me lembro de você.

A surpresa lhe tirou o fôlego ao mesmo tempo em que o bondinho deu uma parada brusca na rua, jogando-a diretamente nos braços de Jake. Deus, como adorava ficar ali, sempre se sentia tão segura quando ele a abraçava.

Sophie olhou para aquele rosto lindo.

— Como sabia que eu gostava de bondinhos?

— Você sempre foi importante para mim, Sophie.

A simples declaração a fez resplandecer de alegria. Ah, seria tão fácil se entregar a ele. Mas lembrou-se de que com Jake precisava de cautela, e, assim, tentou se afastar dos braços dele, comentando:

— Às vezes quase me esqueço de que você praticamente cresceu comigo, meus irmãos e a Lori.

Em vez de soltá-la, Jake puxou-a ainda mais para perto.

— Passei bastante tempo na sua casa. Não tente se convencer de que não prestei atenção em você, porque prestei.

Verdade?

Ele praguejou do nada e, então, soltou-a; o vento frio entre eles fez Sophie arrepiar-se imediatamente.

— Prometi não tocar em você.

Sophie odiava aquela promessa. Depois de tantos anos sem poder tocar em Jake, e então finalmente poder se entregar àquela vontade incontrolável de ser fisicamente carinhosa com ele, doía não poder voltar para os braços dele e beijá-lo do jeito que vinha fazendo nas últimas 24 horas.

No entanto, sabia por que ele tinha feito essa promessa. Era muito fácil se perderem nas faíscas sensuais, sempre acesas entre eles, muito mais fácil do que ter certeza de que havia uma ligação verdadeira, uma conexão real que os manteria juntos durante a provação dos gêmeos... e uma possível vida juntos como marido e mulher.

Mesmo assim, quando ele soltou sua mão, Sophie recusou-se a retirá-la. Não abdicaria disso também; não quando parecia tão certo; não quando ficar de mãos dadas era quase melhor do que fazer sexo com ele.

O corpo de Sophie zombava daquele pensamento, e ela, em silêncio, reconheceu que havia pouquíssimas coisas na vida melhores do que fazer sexo com Jake McCann.

Nesse momento, o condutor anunciou que iriam em direção a Chinatown e o estômago dela reagiu imediatamente à notícia, com um barulho alto que superou o som esganiçado do bondinho descendo pelos trilhos.

Ela sorriu para Jake.

— Acho que nossos filhos gostam de comida chinesa.

Nossos filhos.

Essas duas palavras ressoaram no peito de Jake, parando bem no meio, onde seu coração batia acelerado.

Deveria tê-la feito comer melhor no café da manhã. Mas, em vez de colocar as necessidades dela em primeiro lugar, ocupara-se em possuí-la ardentemente no banquinho da cozinha, para depois afastá-la assim que tinham terminado.

Quando o bondinho parou no farol seguinte, ele pulou e alcançou-a. Isso não valia como tocá-la, já que era só para garantir que ela desceria com segurança... mesmo que tivesse segurado na cintura dela alguns segundos mais do que deveria.

Ficou surpreso quando Sophie pegou sua mão e começou a liderar o caminho.

— Conheço um lugar que tem o melhor *cha sui bao* do mundo.

— *Chasu* o quê?

Jake adorava o som da gargalhada dela.

— Vai ver. — Ela lançou um olhar alegre por sobre os ombros. — Prometo que não vai se decepcionar.

Graças a Deus que Sophie voltara ao seu estado normal, sorridente e feliz. Cada vez que ele fazia ou dizia algo que tirava aquele brilho dos olhos dela, odiava-se mais e mais. Esse era um dos motivos para ter se afastado dela por tanto tempo... porque sabia que a magoaria.

Jake nunca passara muito tempo nessa parte de Chinatown, onde os turistas ficavam. As partes que conhecia eram os becos, onde as gangues se reuniam. Não se juntava a esse pessoal desde a escola secundária, mas ainda conseguia reconhecer os caminhos por entre os becos estreitos. Assim, quando Sophie saiu da rua principal em direção a um dos becos, precisou fazê-la parar.

— Há vários lugares para comer nesta rua.

— Nenhum tão bom quanto aonde vou levar você — ela afirmou, sem entender a preocupação dele.

Jake sabia que, desde quando estavam juntos, tinha passado tempo demais dando ordens sobre o que ela poderia ou não fazer. E ela claramente queria levá-lo a esse lugar específico. Então, deixou-a liderar o caminho por entre os becos e vielas, ficando bem perto, apesar de não conseguir entender como Sophie Sullivan, perfeita e meiga, conhecia tão bem os caminhos dessa parte da cidade.

Finalmente, ela parou diante de uma porta vermelha brilhante e sorriu para ele.

— Chegamos.

Ela empurrou a porta e Jake viu que era uma padaria, mais em escala industrial do que para servir clientes.

Um homem de meia-idade, magérrimo e visivelmente exausto, olhou para eles com um sorriso aberto.

— Srta. Sophie!

Ela soltou a mão de Jake para dar um abraço no homem.

— Sr. Chu, espero que não se incomode por aparecermos dessa maneira. O Jake e eu estávamos na vizinhança e não conseguia pensar em mais nada além de comer um dos seus bolinhos de carne de porco no vapor.

Jake entendia exatamente por que o homem estava tão satisfeito. Sophie sempre causava essa reação nas pessoas.

Ela olhou por sobre os ombros do homem, em direção à cozinha atrás dele.

— Espero não estarmos atrasados. Sei como eles vendem rápido.

Contudo, o homem já estava limpando a mesinha de plástico no canto, segurando uma cadeira para Sophie, como se ela fosse uma princesa. Jake apertou a mão do homem e, ao apresentar-se, sabia o que o cara estava pensando enquanto o analisava com olhos semicerrados.

— Você é dono daqueles pubs irlandeses.

Ele balançou a cabeça e disse que sim, garantindo que o Sr. Chu ouvisse o que estava realmente dizendo: *Sei que não sou bom o bastante, mas, já que não consigo deixá-la ir, vou fazer das tripas coração para tomar conta dela.*

O Sr. Chu observou-o antes de balançar uma vez a cabeça e desaparecer nos fundos.

— O que foi isso? — Sophie questionou.

Jake deu de ombros enquanto colocava uma pilha de revistas no chão e sentava-se na outra cadeira.

— Como conhece este lugar?

Antes que ela pudesse responder, o Sr. Chu voltou com o chá.

— Como está indo o primeiro ano do Stanley na faculdade? — ela perguntou a ele.

— Bem. Apesar de ele dizer que nenhuma das garotas de lá é tão linda quanto a tutora dele.

Ela riu alto.

— Diga a ele que também tenho saudades. Ela ainda sorria quando o homem voltou para a cozinha. — O Stanley sempre foi o maior paquerador do mundo.

Jake sabia ser loucura ter ciúmes de um rapaz que acabara de entrar na faculdade, mas só porque era loucura não significava que não sentisse nada. Especialmente quando imaginava que Sophie havia passado bastante tempo sozinha com o garoto, já que tinha sido sua tutora.

— Você trabalha em tempo integral. Como tem tempo para dar aulas?

Ela assoprou a fumaça da xícara de chá.

— O tempo livre é superestimado. Prefiro fazer coisas de que gosto com as pessoas.

Agora ele entendia porque tinha gostado tanto da Sra. Springs. Não era só porque ela fora a única a quem não conseguira assustar, mas porque ela o fazia se lembrar de Sophie. Gentil, mas com uma espinha de ferro embaixo daquele invólucro meigo.

— Além disso — ela continuou —, tem a ver com minha missão secreta. — Ela encostou os cotovelos sobre a mesa e colocou o rosto entre as mãos. — Quero que todo mundo ame os livros tanto quanto eu.

Ela era tão linda, tão pura, que o peito de Jake se apertou ao olhá-la do outro lado da mesinha, sabendo o quanto ele a decepcionaria.

Ele não era mais um analfabeto, mas ler nunca seria divertido.

E ele nunca amaria os livros.

O Sr. Chu trouxe um prato de bolinhos de carne de porco e deixou-os a sós novamente. Sophie partiu um pedaço e ofereceu-o a Jake.

— Aqui, dê a primeira mordida.

Agradecendo a Deus por nunca ter precisado de livros para saber como dar prazer às mulheres, Jake colocou a mão em volta do pulso de Sophie para mantê-la firme enquanto colocava a comida na boca. Deixou seus dentes lhe roçarem a pele, ao fazer isso, e foi recompensado pelo desejo que brilhou nos olhos dela.

— Bom, né? — ela perguntou com uma voz levemente rouca.

— Me dê outro pedaço, princesa.

Com certeza Sophie sabia o que ele estava fazendo, brincando fora das regras, tocando-a quando prometera não fazê-lo. Porém, um minuto depois ela já estava com outro pedaço de bolinho. Mais uma vez, Jake fez dela parte de seu aperitivo.

— Sim — ele respondeu depois de, finalmente, soltar a mão dela. — É muito bom. Ele tirou o prato da frente dela e pegou um pedaço do bolinho. — Agora é sua vez.

Ela corou, mas não hesitou em abrir a boca. A princípio, ele pensou que ela só aceitaria a comida, mas, no último segundo, colocou a língua para fora e lambeu a ponta do dedo dele.

Jake mal pôde conter um gemido. Que inferno! Por que tivera que fazer aquela promessa idiota de não tocá-la?

Há muito, muito tempo, Sophie não se sentia tão feliz. Estar com Jake, caminhando vagarosamente de mãos dadas no centro de São Francisco, era melhor do que qualquer noite glamourosa que já passara com outros homens que tinha namorado.

Não que estivessem tecnicamente namorando. Não, tinham pulado essa parte, não tinham? Tinham ido de um simples beijo a ter gêmeos tão rápido que sua cabeça ainda estava girando.

Estava feliz por Jake ter insistido em passarem o dia juntos, por ele querer provar a ela que eram compatíveis também fora do quarto. Ela corou ao perceber que tinham feito sexo em muitos outros lugares que não o quarto.

De qualquer forma, não conseguia deixar de lado a sensação de que a tênue conexão que ela e Jake estavam formando entre eles fora levemente quebrada na padaria em Chinatown. Alguma coisa sempre se colocava entre eles, e Sophie queria saber o que era, queria que ele se abrisse e lhe contasse.

Mas conhecia Jake há tempo suficiente para saber o que aconteceria se pressionasse muito e muito rápido. Ele se fecharia completamente... e destruiria seu coração perdê-lo quando parecia que realmente tinham uma chance de fazer as coisas darem certo.

A bexiga, agora superativa, fez Sophie parar na frente de um Starbucks.

— A natureza está chamando. Volto logo — ela informou a Jake, deixando-o parado na calçada enquanto ela foi esperar na fila surpreendentemente longa do lado de dentro.

Jake estava segurando uma sacola de plástico relativamente grande quando ela voltou. A única loja por perto era o café que vendia bugigangas para turistas. Para falar a verdade, coisas do tipo que ela absolutamente adorava.

O que Jake poderia ter comprado?

Antes que pudesse perguntar, ele agarrou-lhe a mão e disse:

— Se corrermos, talvez consigamos pegar o bondinho antes que comece a descer a ladeira.

De mãos dadas, os dois se desviavam das pessoas, dos cachorros e das latas de lixo. Riso e felicidade pura e solta borbulhavam dentro dela, ao lado de um Jake que ela não sabia existir até então.

O bondinho diminuiu a velocidade a tempo suficiente para que Jake a fizesse subir antes de se colocar atrás dela. O condutor pareceu feliz quando Jake mostrou os ingressos e Sophie pensou que ele reconhecera o dono do McCann's, assim como todo mundo até agora.

— Para onde está me levando?

Em vez de responder, Jake puxou-a para mais perto de si, as costas dela encostadas nele, quebrando a promessa novamente, graças a Deus. Ela escorregou as mãos pelos braços dele e apoiou a cabeça sobre o ombro dele à medida que a paisagem de São Francisco passava por eles. Sophie fechou os olhos e desejou que pudessem ficar assim para sempre.

— Aqui é nossa parada.

Sophie sentiu-se tonta ao sentir a respiração quente dele contra seu ouvido e percebeu que devia ter saído do ar, num sono leve dentro do bondinho, provavelmente pela combinação do movimento, da gravidez... e por finalmente estar onde sempre desejara.

Segura e aconchegada nos braços de Jake.

O vento começou a soprar mais forte, mas o sol da tarde ainda brilhava. Ele a levara para uma larga faixa de grama no Chrissy Field, na baía. À direita estava Alcatraz, à esquerda a ponte Golden Gate. No meio de um dia de trabalho, não havia muita gente, só algumas pessoas soltando pipas.

— Lembra-se de quando vínhamos aqui quando éramos crianças?

Claro que se lembrava.

— A Lori e eu tínhamos pipas novas, mas a minha rasgou quando ela pisou em cima antes mesmo de eu conseguir empiná-la. — Ela fez uma pausa. — Você me disse que pipas eram para bebês, mas fez a Lori dividir a dela comigo.

— Odiava ver você chorando. — Ele acariciou o rosto dela. — Ainda odeio. — Ele tirou alguma coisa comprida e colorida de dentro da sacola enorme. — Gostaria de ter dado isto a você 15 anos atrás.

— Ah, Jake. — Ela mal podia acreditar. Ele encontrara uma pipa com a forma de um arco-íris, bem parecida com a que ela tivera quando criança. — Não acredito que comprou isso para mim.

— Que bom que gostou.

— Não gostei. Eu amei! — *E você* —, ela pensou. *Amo tanto você.*

Ele ajudou-a a abrir o pacote e logo depois o vento levou a pipa para o alto do céu. Sophie tinha que correr para acompanhar a pipa, e, quando finalmente conseguiu controlá-la e olhar para Jake, ele a fitava fixamente com o mesmo ar de encantamento que tinha no rosto quando fizeram amor e as mãos dele estavam sobre seu ventre.

Desta vez, ela sabia que não tinha nada a ver com o fato de estar grávida dos filhos dele. Mas só porque tinha parado de esconder sua atração por ela, e porque gostava de ficar com ela... isso não significava necessariamente que se apaixonaria por ela do jeito que ela sempre fora apaixonada por ele, não é?

CAPÍTULO DEZOITO

Jake viu Sophie se arrepiar de frio quando o sol desapareceu atrás de Alcatraz. Sabia que deveria levá-la para casa, mas ainda não estava pronto para que o dia terminasse. Pensou estar fazendo aquilo por ela, mas a verdade é que não conseguia se lembrar de um dia melhor que esse.

O estômago roncou novamente e ela riu:

— Juro, não é sempre que tem o barulho de uma multidão aqui dentro.

— Deveria ter dado alguma coisa para você... — e para eles — comerem — Jake comentou, olhando para a barriga dela. — A boa notícia é que conheço um lugar bem legal nas construções do Fort Mason, aqui pertinho.

Ele adorou o jeito como Sophie automaticamente alcançou a mão dele para caminharem juntos pelo gramado até o estacionamento onde a antiga base militar fora transformada em galerias, lojas e restaurantes.

Mas, ao chegarem mais perto do restaurante, ela parou abruptamente.

— Não pode estar falando sério. Não podemos entrar no restaurante mais badalado da cidade vestidos assim. E estou toda suada de correr pelo gramado.

— Gosto quando está suada — ele disse baixinho; no entanto, apesar do desejo que se acendeu nos olhos dela diante da lembrança do quanto era bom suarem juntos, podia ver que o comentário não a fazia se sentir melhor com relação ao lugar aonde pretendia levá-la.

— Você está sempre linda, Sophie. E precisamos comer. — Ele colocou a mão sobre a cintura dela, fazendo-a atravessar a entrada elegante.

O *maître* reconheceu-o imediatamente.

— Sr. McCann, seja bem-vindo. Por favor, siga-me.

Sophie ficou surpresa pelo cumprimento — e pelo fato de serem colocados em uma das melhores mesas do restaurante. Ele entendia a confusão dela: um cara como ele não deveria poder ficar nem a duzentos metros de um lugar como este. Deveria estar nos fundos lavando pratos, não sendo levado até uma das melhores mesas do local, com a garota mais linda do mundo em seus braços. Jake não costumava vir a lugares desse tipo, ainda que conhecesse a maioria dos chefs da cidade. Simplesmente não ficava à vontade, nunca sentira pertencer a um lugar como aquele.

— Bom apetite. Vou avisar ao chef que estão aqui.

Sophie abaixou o tom de voz, quase num cochicho.

— Tinha feito reserva?

Ela ficava tão atraente quando arregalava os olhos daquele jeito, e ele cochichou de volta:

— Não.

Nesse exato momento, seu amigo Chris veio até a mesa deles, com o sorriso aberto. Jake pôde perceber o quanto o amigo ficou impressionado pelas feições de Sophie. Ela era, de longe, a mulher mais linda do lugar. O fato de não se esforçar nem um pouco para isso e de não ter a mínima noção do efeito que exercia sobre outras pessoas aumentava ainda mais a beleza dela.

— Fico feliz por estar jantando conosco essa noite, senhorita...

Sophie piscou os olhos para o chef famoso enquanto erguia a mão para cumprimentá-lo.

— Sophie Sullivan.

Ela passou a língua sobre os lábios e, ao perceber os olhos de Chris recaírem sobre aquela boca pecadoramente sensual, Jake percebeu o erro que havia cometido vindo até ali naquela noite.

Ele mataria o amigo por olhar para a mulher dele desse jeito.

— Muito prazer em conhecê-la, Srta. Sullivan.

— Por favor, me chame de Sophie.

— Srta. Sullivan está de bom tamanho — Jake interrompeu.

Sophie ficou paralisada.

— Jake!

Os olhos de Chris se acenderam com surpresa ao olhar de um para o outro. *É isso mesmo, ela é minha. Para sempre. É melhor cair fora — e bem rápido.*

— Seria um prazer sugerir o *menu* de degustação desta noite.

Sophie deu aquele sorriso tímido e radiante, e Jake teve um rápido vislumbre do que seria o resto de sua vida com Sophie, olhando os homens caírem aos pés dela. Seria um inferno.

E se os gêmeos fossem meninas? Como poderia proteger todas elas?

Chris tinha mais mulheres à disposição dele do que até mesmo Jake podia contar. Havia algo sobre a combinação de comida *gourmet*, ego grande e alguns músculos que dava água na boca das mulheres. No entanto, era óbvio que, se Jake desse espaço, Sophie subiria para o topo da lista e todas as outras seriam esquecidas. Ela não era só linda; tinha classe, inteligência. E era muito mais do que ele merecia.

— O *menu* de degustação está bom — Jake retrucou ao amigo. — Agora, dê o fora daqui.

Sem perder a oportunidade, Chris dirigiu-se a Sophie:

— Também seria um prazer informar que, quando ficar cansada desse cara...

Jake interrompeu-o, seco.

— Mais tarde, Chris.

Desta vez, felizmente, Sophie não ficou paralisada. Em vez disso, enquanto Chris fazia uma mesura diante dela antes de voltar para a cozinha, começou a rir, um dos sons mais doces que Jake jamais ouvira. Fazê-la rir seria uma de suas prioridades na vida.

— Não posso acreditar como você foi grosso — ela comentou, ainda sorrindo. — Imagino que vocês dois já se conheçam.

Ele passou manteiga em um pedaço de pão recém-saído do forno e ofereceu-o a ela.

— Ensinei a ele tudo o que sabe sobre lavar louça.

Sophie mordeu o pão, ainda gargalhando, e ele gostou de vê-la comer. Nunca tinha cuidado de alguém antes, nunca quisera esse tipo de responsabilidade. Agora, manter Sophie segura e saudável lhe consumia o pensamento.

— Também ensinei tudo o que sabe sobre mulheres. Ele não conseguia tirar os olhos de você.

Sophie corou e olhou para o prato.

— Ele só estava sendo educado.

— Não sabe o efeito que tem sobre os homens, princesa? Toda a sua perfeição, sua elegância... você nos deixa desesperados para saber como seria tê-la toda nua, embaixo de nós na cama, seu cabelo sedoso enroscado em nossas mãos, sua boca clássica implorando para...

Ela chutou-o por debaixo da mesa, sussurrando:

— Não pode falar esse tipo de coisa aqui.

— Jesus — ele comentou enquanto se inclinava para esfregar a canela. — Isso doeu.

— Meus irmãos me ensinaram como lidar com caras que não aceitam não como resposta.

Uma visão terrível de um dos irmãos dela entrando no restaurante nessa noite e descobrindo instantaneamente o que ele tinha feito à irmãzinha deles foi abruptamente interrompida quando Sophie exclamou:

— Ah, não! Devia ter dito ao Chris que não posso comer nem queijos moles nem peixe cru.

Que merda! Se tivesse lido o livro que a médica tinha lhes dado, ele saberia disso. Mas só de pensar em tentar ler todas aquelas palavrinhas a respeito de um assunto sobre o qual já estava enlouquecendo fazia a cabeça dele zunir.

— Vou dizer a ele. — Jake levantou-se e deu-lhe um beijo na testa. — Mas, se um desses caras tentar dar em cima de você, diga a eles...

— Que já sou comprometida.

Ela estava tão linda ao olhá-lo e declarar que lhe pertencia que Jake não se incomodou por estarem no meio do restaurante mais exclusivo de São Francisco. Tinha que beijá-la.

Com a boca sobre os lábios macios e quentes de Sophie, Jake se perguntava como podia ser tão idiota. Em vez de levá-la para sair, poderia tê-la só para si.

A pele de Sophie estava lindamente corada quando ele tirou os lábios dos dela e foi em direção à cozinha.

— Sophie não pode comer queijo mole nem peixe cru.

Chris levantou os olhos do prato que estava preparando.

— Ela está grávida?

Surpreso pelo amigo ter entendido o recado, Jake concordou.

— Parabéns! Ela é maravilhosa.

Jake ainda não havia contado a ninguém, mas, de repente, precisou dizer:

— Vamos ter gêmeos.

Chris deu um assobio longo e grave.

— Tenho que admitir, está sempre me surpreendendo. Principalmente porque nunca tinha visto você com uma garota tão "classuda" antes. — Ele limpou a beirada do prato com o avental. — Já que isto é seu, vou voltar lá com você.

Jake tirou o prato da mão do amigo.

— Pode deixar comigo.

— Tudo bem. Mas não estrague o visual. Tenho uma reputação a preservar.

— Ah, é, reputação de canalha — Jake retrucou, mesmo sabendo que não era culpa do amigo que não ficasse à vontade num lugar como esse.

Era sua própria culpa. Não deveria tê-la trazido ali. Tudo o que fizera fora mostrar a ela quão mal se encaixava em seu mundo.

—m—

Sophie achou que fosse ficar chocada por Jake tê-la beijado daquela maneira na frente de todos, mas, mesmo que tivesse, não pôde deixar de perceber os olhares invejosos dos outros clientes. Principalmente das mulheres, que visivelmente gostariam de ter um cara gostoso que não conseguisse tirar as mãos de cima delas. Até mesmo o fato de estar vestindo uma saia de algodão e um suéter totalmente inadequados mal a incomodava.

Ela ergueu os olhos e viu Jake voltando com um prato de comida na mão, e seu coração inflou de tanto amor. Até agora, tinha sido um dia absolutamente perfeito.

Mas, ao sentar-se de volta, ele parecia um pouco mais sisudo do que alguns minutos atrás. Ela estava se acostumando aos seus modos rudes, a como gostava de estar no controle o tempo todo. Era óbvio que algo tinha acontecido quando fora até a cozinha conversar com o amigo.

Ignorando a comida, ela perguntou:

— O que aconteceu, Jake?

Ele não respondeu; só lhe entregou o prato e disse:

— Você precisa comer.

A coisa mais fácil a fazer seria ficar brava com ele por ignorá-la de novo, mas estava cansada desse padrão. Era hora de as coisas mudarem.

— Hoje foi ótimo — ela prosseguiu suavemente —, mas entre nós tem que haver mais do que andar de bondinho e soltar pipa.

Sophie esperou que ele fizesse algum comentário, no entanto, o rosto dele continuou esculpido em granito. Ela suspirou. Parecia que tinham progredido tanto nesse dia, mas será que tinham mesmo?

Então, ele finalmente se manifestou:

— Todo mundo está se perguntando o que um cara como eu está fazendo em um lugar desses com uma garota como você. Eu deveria estar lavando pratos e não saboreando um jantar.

Ela nunca tinha percebido a vulnerabilidade dele antes. Na verdade, nunca imaginara que Jake pudesse ter qualquer tipo de vulnerabilidade. Achava que o conhecia tão bem, depois de todos esses anos apaixonada por ele.

Talvez não o conhecesse de verdade; nunca imaginara que fosse o tipo de homem capaz de abraçar uma gravidez não planejada com tanto entusiasmo... ou de gostar de uma garota tão comum quanto ela, que não chamava atenção nem tinha nada de especial como seus irmãos.

— Passei muito tempo da minha vida achando que não me encaixava em nada. Meus irmãos e a Lori eram tão maiores, tão mais inteligentes do que eu jamais seria. Mas, agora — ela fez uma pausa e encarou os olhos escuros dele —, sinto-me muito melhor.

Jake não poderia ter uma expressão mais surpresa.

— Verdade?

Ela concordou com a cabeça.

— É bom saber que você se sente tão desajustado quanto eu.

— Desajustado é uma boa palavra — ele concordou, mas havia uma tristeza nas palavras que não podia disfarçar.

Era a chance que ela queria, e não deixaria a oportunidade passar. Não agora, quando se sentia tão próxima dele... e quando queria ficar ainda tão mais perto.

— Sei que crescemos praticamente juntos, mas não sei muito sobre sua infância.

— Acredite em mim, não tem nada de interessante. — Ele empurrou seu aperitivo para ela. — Estou falando sério, Sophie, precisa comer.

— Você sabe tudo sobre minha infância. Não é justo que eu mal saiba alguma coisa sobre a sua. — Ela percebeu que precisava jogar o coringa. — Vou comer se você falar.

— E eu que imaginei que você fosse ingênua. — Ele apontou para a comida — Tudo bem. Comece a comer e eu falo.

Sophie tentou esconder o sorriso enquanto mordia a salada de beterraba amarela e vermelha, sabendo que Jake ficaria chocado ao perceber o quanto ficava atraente quando estava bravo e irritado com ela.

— Minha mãe me abandonou quando eu era bebê, encontrou um cara que poderia lhe dar pouco mais do que um apartamento barato e uma vida inteira como garçonete. Ela não queria nada com a gente. Quando apareceu de novo, eu tinha 6 anos. Queria dinheiro. No final, a galinha dos ovos de ouro dela acabou virando um belo fracasso.

Sophie não conseguiu esconder seu estado de choque.

— O que aconteceu?

— Meu pai a expulsou. Eu estava na escola quando tudo aconteceu. Nunca a vi. Era melhor para ela ficar longe dele. Era um bêbado. Morreu de problemas no fígado quando eu tinha 18 anos.

Jake colocava os fatos como se pertencessem à vida de outra pessoa, como se não estivesse nem aí, como se não ficasse magoado. Mas ela sabia que não era assim, que os acontecimentos deviam tê-lo ferido. Profundamente.

Como poderia não doer ter sido criado com tanta negligência? Tantas vezes, nos últimos dois meses e meio, Sophie tinha tentado proteger seu coração de Jake. Era a coisa mais inteligente e segura a fazer.

Mas como poderia se proteger de um garoto cuja infância fora terrível, mas que, apesar de tudo, tinha se tornado um homem maravilhoso?

De algum modo, conseguiu controlar suas emoções, sabendo que ele confundiria sua tristeza pela infância terrível com piedade. Nesse momento, chegou mais comida, e, depois de o garçom ter saído, ela pegou o garfo, como se tudo estivesse perfeitamente bem, forçando um sorrisinho nos lábios.

— E eu que pensei que perder uma pipa fosse o ponto alto de uma infância difícil.

Ela quase comemorou quando seu comentário, surpreendentemente, fez Jake sorrir, e ele começou a comer também.

— Faz ideia do que é ser vigiada por seis irmãos mais velhos? — Ela fez uma careta. — Todos os garotos da escola morriam de medo de chegar perto de mim. Não dei meu primeiro beijo até ir para a faculdade, acredite ou não.

— Se alguma coisa acontecesse a você, eles nunca se perdoariam por não a terem protegido da melhor forma possível.

— Odeio ser tratada como se fosse quebrar. Estou cansada de todo mundo achar que sou uma garotinha dengosa que não consegue se cuidar. — Ela estava no embalo e não conseguia parar. — Sou tanta coisa mais do que isso, mas ninguém nunca quer ver.

— Eu vejo isso, Sophie.

Surpresa, ela começou a bater o garfo no prato.

— Vê mesmo?

— Claro que sim. Como poderia não ver como é forte? Como é flexível. A maneira como se ajusta à mudança de situações que dariam dor de cabeça a muita gente. Você é tão mais durona do que as pessoas imaginam. — Os lábios dele se curvaram em um sorriso que roubou o que ainda sobrava do fôlego dela. — E, além de tudo isso, é a mulher mais sexy que já vi na vida.

Ela rolou os olhos.

— Você quase me fez acreditar, até essa última parte.

— Quase estraguei o casamento do seu irmão, sabia?

Sophie não conseguia seguir a linha de raciocínio dele; o que tinha a ver ser ou não sexy com o casamento de Chase?

— Estragou o casamento? Como?

— Queria matar todos os homens que olhavam para você naquele vestido rosa. E não havia nenhum lá que não estivesse olhando, princesa. Todo aquele sangue no meio da festa... — Ele balançou a cabeça. — Não seria muito legal.

— Mas você nunca prestou atenção em mim até aquele casamento, quando pus aquele vestido e fiz aquela maquiagem.

Os olhos dele escureceram e o rosto ficou sério como ela nunca vira antes.

— Acredite em mim, prestei atenção em você antes disso. Muito antes.

— Você topa ir a mais um lugar? — Sophie perguntou um pouquinho depois, quando saíam do restaurante.

A atração entre eles tinha estado no ar enquanto terminavam o jantar, e tudo em que Jake conseguia pensar era levá-la para a cama. Quando chegasse, quando o dia estivesse oficialmente terminado e ele tivesse cumprido a promessa, poderia tocá-la de novo. E, ah, como a tocaria...

Porém, quando Sophie abria um daqueles lindos sorrisos que faziam o coração dele bater mais rápido, como não concordar com o que ela queria?

— Tem uma coisa que quero lhe mostrar. Não fica muito longe daqui.

De mãos dadas, ele deixou que ela o guiasse pela orla em direção a um grande prédio cinza. Sophie enfiou a mão dentro da bolsa e puxou um cartão-chave, segurando-o em frente a um cadeado eletrônico. O cadeado abriu-se em um clique e ela empurrou a porta.

— Vai me mostrar uma piscina?

Ela sorriu enquanto o puxava em direção ao próximo conjunto de portas que davam nos vestiários e, então, finalmente à piscina.

— Entre outras coisas.

Ela chutou os sapatos e soltou a mão dele para alcançar a barra de seu suéter.

— Sophie? O que está fazendo?

Era uma pergunta estúpida; sabia exatamente o que ela estava fazendo. Só não podia acreditar.

— Tirando a roupa.

Aleluia!

Ela tirou o suéter por cima da cabeça e, logo depois, o top que usava por baixo. Em seguida, tirou a saia, até ficar parada na frente de Jake, vestindo somente calcinha e sutiã.

— Precisa de ajuda para tirar a roupa?

Será que não sabia que ele não conseguia pensar direito com ela em pé na frente dele, linda daquele jeito?, Jake pensou.

— Não deveríamos estar aqui depois do horário, não é?

Ela balançou a cabeça alegremente, puxando a camiseta dele e começando a tirá-la.

— Não — respondeu.

Ela tirou a blusa dele com destreza, mas, quando colocou as mãos sobre o jeans dele, Jake teve que perguntar:

— Já fez isso antes? Com outra pessoa? — Se sim, ele teria que ir atrás do cara e socá-lo. Sophie era dele; que inferno! Ela sempre fora dele, mesmo que nunca tivesse chegado perto dela o suficiente para tomar posse dela até aquela noite, quando ela tinha aparecido em sua porta em Napa e o seduzira.

Assim como o estava seduzindo agora.

— Sempre quis — ela declarou enquanto tentava abaixar o zíper e tirar as calças dele. — Mas você é o primeiro.

E o último, ele pensou ao tirar o resto de suas roupas, sapatos e meias.

Havia prometido a ela um dia inteiro sem sexo e tinha conseguido chegar até ali. Mas nadar nu acabaria com ele. Porém, fazer o quê? Mesmo que não pudesse tocá-la, ainda podia olhar para ela.

— Não dá para nadar nua se ainda estiver com roupa, princesa. Vire-se.

Quando Sophie fez o que pediu, ele colocou de lado o cabelo comprido para desabotoar o sutiã, então tirou as alças do ombro até que a peça de roupa caísse no chão. Apoiado em um joelho, enroscou os dedões nas laterais da calcinha, puxando-a para baixo, até os pés.

— Sophie — ele disse com voz rouca, a boca muito perto do traseiro dela —, é melhor você pular antes que eu quebre minha promessa.

— Não sem você. — Ao puxá-lo para ficar em pé ao seu lado, os olhos dela estavam fixos na ereção dele. — Fico feliz ao ver que gostou tanto da minha ideia de nadarmos nus.

Jesus, isso acabaria com ele: entrar na água com Sophie totalmente nua e não tocá-la. Não beijá-la. Não fazer amor com ela.

Que merda! Ele conseguiria, pois tinha lhe dado a palavra... e porque precisava que ela soubesse o quanto gostava dela. Não só como uma mulher sexy, mas também como a pessoa com quem queria passar o resto da vida.

Ao contar o três, pularam juntos e a risada de Sophie foi o melhor som do mundo quando voltou à superfície espalhando água por todo lado. Quando Jake percebeu, ela já tinha enroscado os braços e as pernas ao redor dele, e ele a segurava na água.

Ah, meu Deus, como estava macia. E molhada.

Queria passar as mãos em cada centímetro do corpo dela.

Pelo jeito como sua ereção latejava sobre a barriga dela, não precisaria de mais do que uma leve mexida dela em seus braços para penetrar naquele calor. Se esse era o jeito de ela testá-lo, entraria de cabeça para provar que estava à altura do desafio.

Mesmo que morresse.

— Até agora foi um dia perfeito — ela murmurou no ouvido dele enquanto lhe passava a língua no lóbulo da orelha —, exceto por uma coisa.

Jake mal podia pronunciar as palavras, desejando-a tanto a ponto de perder o controle só com as curvas nuas tocando-se suavemente o corpo dentro da água.

— O que faria tudo perfeito?

— Isto.

Sophie lhe mordeu o lóbulo da orelha ao mover-se e ajustar-se ao membro dele.

— Agora — continuou arfante — está perfeito.

Finalmente Jake pôde se entregar ao prazer indescritível de beijar a boca mais doce que já experimentara. Os lábios tão macios, tão quentes, enchendo-o de prazer e desejo, dando e recebendo na mesma medida. Podia sentir a força dela quando seus músculos flexíveis se apertavam mais ao redor dele e suas coxas fortes a faziam cavalgar sobre ele dentro d'água.

Jake imaginara que ela fosse muito delicada, muito frágil para ele, para suas necessidades, para seu passado. No entanto, ela respondia a cada estocada na mesma moeda, reagia a cada carícia de sua mão sobre a pele dela com as próprias mãos sobre ele.

Ele a desejara por tanto tempo e, toda vez que gozavam juntos, ele a queria ainda mais. Nunca se cansaria da paixão dela, da maneira como tremia de desejo em seus braços enquanto se abria para ele.

Jake dissera a si mesmo que não precisava de ninguém, especialmente dela. Mas estava errado. Era um mentiroso de proporções épicas, pois não havia ninguém de quem precisasse tanto. Ninguém jamais preencheria seu coração — e sua alma — da maneira como essa mulher maravilhosa em seus braços sempre fazia.

Sophie encostou a cabeça no ombro dele, lábios, língua e dentes sobre a pele de Jake. Ele pôde sentir o coração dela batendo rápido e freneticamente contra o seu. Agarrou-lhe os quadris com mais força, segurou-a ainda mais perto e penetrou ainda mais fundo em seu sexo quente, chegando cada vez mais perto do paraíso a cada estocada.

Ela dizia o nome de Jake entre espasmos e, à medida que os sons combinados de êxtase ressoavam pelas paredes da piscina, o prazer incomensurável mesclou-se ao amor verdadeiro, tornando-se o mesmo, único.

CAPÍTULO DEZENOVE

Sophie acordou esparramada na cama de Jake, por cima dele. A cabeça descansava bem em cima do peito, o coração dele batendo firme e constante. Ela lembrava-se vagamente de ter se enroscado nele depois de terem voltado da piscina e caído no sono, mas, em algum momento no meio da noite, devia ter sentido vontade de ficar ainda mais perto e simplesmente acomodara-se por cima dele.

A julgar pela enorme ereção pressionando-lhe a barriga, Sophie imaginou que ele não se importava muito em ser seu novo colchão. Na verdade, nenhum dos dois se importava, e todos aqueles músculos másculos a levaram do estágio de sono para o de excitação em questão de segundos.

Durante todos os anos nos quais sonhara estar na cama com Jake, as visões sempre tinham sido de Jake tocando-a primeiro, tomando a iniciativa de beijá-la e de fazer amor com ela. Na noite anterior, na piscina, fora a primeira vez que tomara as rédeas do sexo.

Tinha adorado. Mais do que isso, tinha amado a maneira como Jake compartilhara com ela alguns momentos de sua vida na noite passada. A conexão física entre eles era inegável. Será que a conexão emocional também poderia ser tão forte?

Será que existia a possibilidade de Jake deixá-la fazer parte de sua vida, pouco a pouco, até dividir seu coração e sua alma com ela?

Sophie roçou a ponta dos dedos sobre os músculos fortes do ombro dele, tracejando as veias e os tendões abaixo da superfície da pele. Tocou levemente da clavícula ao bíceps, querendo memorizar a sensação de Jake, já fazendo um mapa mental de sua perfeição masculina. Também estava feliz pela oportunidade de, finalmente, poder analisar as tatuagens em sua pele bronzeada. Perguntou-se o que cada uma delas significava. Jake não era o tipo de homem que fazia qualquer coisa sem motivo, e tinha certeza de que fazer aquelas tatuagens tinha doído muito. Independentemente do quanto fosse durão, ele era de carne e osso, como todo mundo.

Para ela, poder tocar em Jake a seu bel-prazer era uma dádiva. No entanto, não chegava nem perto de saciar seu apetite repentino e voraz por mais. Não queria só saber explorar o contorno do corpo dele com as próprias mãos; queria senti-lo em seus lábios, ter o gosto dele em sua língua.

Ergueu a cabeça para pressionar os lábios sobre o peito de Jake. O corpo dele era tão rijo, tão forte. Tinha um cheiro tão bom e um sabor melhor ainda, mesmo coberto com um pouquinho de cloro da piscina. Ela mexeu-se novamente, o suficiente para levantar a cabeça do peito dele e lambê-lo, mal contendo um gemido de prazer enquanto saboreava a pele levemente salgada. Não era à toa que os homens eram fascinados pelos seios femininos. Ela já se tornara uma viciada, poderia passar horas com a boca, a língua, os dentes sobre ele, um querendo mais do que o outro.

Movendo-se devagar, colocou uma perna de cada lado dos quadris dele e deixou o peso cair sobre os joelhos no colchão, para que pudesse se abaixar sobre ele e se deliciar com os olhos. Foi quando percebeu que os olhos escuros dele não estavam fechados.

— Está acordado?

Os lábios dele curvaram-se num sorriso sexy.

— Acha realmente que existe algum cara no mundo que ficaria dormindo enquanto você faz isso? — Colocou as mãos na cintura dela e apertou-a suavemente. — Estou acordado desde que me transformou no seu travesseiro umas duas horas atrás. — Ele coroou as palavras com o movimento lento das mãos indo dos quadris até a cintura dela.

— Coitadinho! Acho que preciso recompensá-lo pelas horas de sono perdidas, não acha?

Os olhos dele, surpresos, se iluminaram e pegaram fogo diante das palavras meigas dela, um segundo antes de as pontas dos dedos dele roçarem a parte de baixo do peito dela e as mãos cobrirem os seios. Sophie queria manter-se focada nele, na fantástica aventura da exploração de seu corpo, mas, quando Jake a tocou daquela maneira, não conseguiu impedir as costas de se arquearem mais profundamente para dentro das mãos dele. O membro de Jake já estava absurdamente ereto entre as coxas dela e o corpo de Sophie se posicionou sobre ele como se estivessem ligados por ímãs, deslizando sobre ele, para cima e para baixo, até a respiração ficar ofegante.

— Meu Deus, adoro ver você gozar. Goze para mim, princesa. Cavalgue em mim até chegar lá, bem assim.

Toda vez que estava com Jake, Sophie envolvia-se cada vez mais fundo na magia sensual que emanava dele. Nunca imaginara ser essa mulher, que almejava o gozo enquanto seu amante a instigava; nunca tinha se achado capaz de invadir o centro de natação para nadar nua com ele.

No entanto, também nunca se sentira tão segura antes, nunca tivera um homem olhando-a como se fosse a única pessoa no mundo que importasse.

A sensação de prazer intenso nos olhos dele levou-a rapidamente ao clímax. Enquanto encaixava sua pélvis à dele, e as pontas dos dedos de Jake brincavam com seus seios extremamente sensíveis, Sophie não era mais a Boazinha, tampouco a Teimosa.

Era só uma mulher que finalmente entendia como o prazer profundo podia tomar conta de tudo desde que estivesse com o homem certo... ainda mais quando o amor os unia tanto quanto os hormônios e a atração.

Suas bocas se encontraram em um emaranhado de volúpia, as línguas lambendo e deslizando, os dentes mordendo os lábios à medida que ondas de prazer se espalhavam dentro dela, por ela, sobre ela. O orgasmo parecia interminável, levando-a cada vez mais ao clímax antes de lhe deixar os músculos fracos e frouxos. Mesmo assim, apesar da maneira como seu pênis ainda pulsava entre as pernas dela, Jake simplesmente lhe acariciava os cabelos, as costas, enquanto Sophie tentava recuperar o fôlego.

— Humm. — Sophie não conseguia pensar em nada com muita clareza, além de seu gemidinho de prazer. Mesmo assim, tinha certeza de que ele os rolaria sobre a cama, abriria suas pernas e a possuiria de um jeito deliciosamente dominador. Ah, como ela adoraria cada minuto!

Mesmo depois de conseguir respirar normalmente e de perceber que os músculos dele estavam tão retesados a ponto de parecer uma rocha pulsante embaixo dela, Jake não se mexeu.

Ela tirou a cabeça do vão do pescoço dele e afastou as mechas úmidas de cabelo do rosto, para poder enxergá-lo direito.

— Você não está...? — Fez uma pausa, corando apesar de estarem nus e ter acabado de gozar cavalgando em cima dele. — Não...?

Os lábios dele capturaram os dela.

— Sim. — Beijou-a de novo, o movimento da língua dele uma janela perfeita para a luxúria. — Meu Deus, sim.

De repente, Sophie teve uma ideia que nunca ousara colocar em prática antes. Mas estar com Jake a fazia sentir-se corajosa. Saindo de cima dele, escorregou pela cama e foi até sua bolsa procurar presilhas de cabelo. Em segundos, fez um coque sexy e tirou os longos cabelos de cima do rosto. Fuçou um pouco mais procurando pelos óculos sem grau que mantinha consigo para usar durante reuniões importantes, quando precisava que as pessoas prestassem atenção somente em seu cérebro.

Ah, ali estavam eles. A armação grande e grossa era perfeita.

Ela virou-se para encarar Jake e teve que rir alto ao ver a expressão no rosto dele: um misto de luxúria e pavor.

— Meu bom Deus, você é a melhor fantasia de bibliotecária pervertida que já tive na vida — ele disse, controlando a voz com dificuldade enquanto olhava do corpo nu para o cabelo preso e os óculos. — Não sei se é uma boa ideia. Já estou quase lá, Sophie.

— Sophie, não. — Ela apertou o enorme pênis ereto antes de acariciar, para cima e para baixo, a pele esticada e lisa. — Srta. Sullivan.

— Essa é sua voz de bibliotecária?

Quando ela concordou, Jake grunhiu.

— Este é oficialmente meu novo jogo favorito.

Sophie deu-lhe um olhar atravessado e ele acrescentou:

— Srta. Sullivan. Senhora.

— Jogo? — Ela engatinhou de volta para a cama, montando sobre ele de novo e inclinando-se para lhe lamber a lateral do pescoço. — Acha que isso é um jogo? — Enfiou os dentes no lóbulo da orelha antes de ir para o outro lado e fazer a mesma coisa. — Ou isso? — Pressionou as mãos abertas sobre o peito dele, cobrindo-lhe os músculos peitorais. — E isso? — Abaixou a cabeça até o peito para lamber e mordiscar, até que ele alcançou-a.

No entanto, em vez de deixá-lo puxá-la para cima de seu corpo, um impulso de força feminina tomou conta de Sophie. Ela reduziria o grande, malvado e destruidor de corações Jake McCann a uma poça de desejo. Ele a queria tanto... e, ah, não era maravilhoso ser finalmente tão desejada?

Antes que ele pudesse impedi-la, Sophie deslizou mais para baixo daquele corpo incrível, para experimentar o que nunca tinha feito antes, mas que, de repente, não podia mais deixar de fazer, nem por mais um segundo. Segundos depois, sentiu o toque daquela carne máscula, quente e grossa. Gemeu de prazer ao sentir o sabor maravilhoso dele enquanto passava a língua em volta de cabeça larga de seu membro antes de abrir a boca para engoli-lo.

Os dedos de Jake se enroscaram no cabelo de Sophie, desmanchando-lhe o coque, mantendo-a prisioneira sobre ele, mas agora ela já não se importava mais em não estar no controle; não se importava mais em fazer o papel de bibliotecária sexy. Tirou os óculos e entregou-se à sensação incrível de dar prazer a Jake, enquanto enfiava o pênis dele dentro de sua boca. Um pouco antes, Jake pedira que Sophie gozasse em cima dele e agora tudo o que ela queria era que fizesse a mesma coisa por ela, desse jeito.

— Preciso de você aqui. — As palavras dele mal atravessaram a nuvem espessa da volúpia dela. — Bem aqui comigo.

Um segundo depois, Jake a puxava sobre ele, fazendo-a perder o fôlego completamente ao penetrá-la até o fundo. Se fosse somente seu corpo que estivesse sendo preenchido, ela conseguiria ter controle, mas a maneira como ele a olhava, como se ela fosse todo o sonho e toda a fantasia que se tornaram realidade, lhe trouxe lágrimas aos olhos, no momento em que seu corpo explodiu em volta do corpo dele.

— Agora — ele implorou quando o membro inchou-se ao máximo dentro dela e os músculos internos instintivamente se apertaram em volta dele. — Goze comigo.

Sophie jogou a cabeça para trás e segurou-se nele como se fosse uma rainha de rodeio e ele, o touro premiado que lhe daria o título. Os rugidos de prazer de Jake faziam cada nervo do corpo dela tremer enquanto Sophie gritava o nome dele.

Quando finalmente conseguiu fazer o cérebro funcionar novamente, percebeu que, em algum momento, Jake devia tê-los rolado para segurá-la em seus braços.

Durante algum tempo, ficaram conectados, duas pessoas suadas e ofegantes envolvidas nos braços um do outro. Sophie podia ficar assim para sempre. Sem necessidade de comida, roupas nem palavras. Só os braços de Jake em volta dela, o coração dele batendo junto ao seu.

Jake passara a vida toda em alerta contra a dor, o fracasso e a decepção. Estar com Sophie fazia-o querer parar de se proteger da queda inevitável, fazia-o querer entregar-se à esperança que tinha jurado, ainda criança, nunca mais sentir de novo.

— Posso perguntar uma coisa? — Ela tracejava vagarosamente o elo de tinta em volta de seu bíceps com a ponta do dedo.

Ele ficou tenso antes de não se deixar levar pelo desconforto, e ela deu um beijo no peito dele.

— Não se preocupe. Não é nada de mau. Pelo menos, acho que não.

Sophie levantou a cabeça para olhá-lo e ele perdeu o fôlego ao ver como ela era linda. Ele imaginara que, depois de todas essas horas juntos, já teria se acostumado a isso.

Considerando que, desde que ela era uma garotinha e se transformara em mulher nos últimos 20 anos, ele nunca se acostumara com a beleza dela, supôs que simplesmente deveria encarar a verdade e aceitar que nunca se acostumaria com isso.

Para ele, Sophie era absolutamente linda.

— O que é? — ele perguntou, a percepção do poder que aquela mulher em seus braços tinha de virar seu mundo de cabeça para baixo fazendo as palavras saírem mais secas do que pretendia.

— Queria saber sobre suas tatuagens. — Ela passou a ponta do dedo sobre a cauda do dragão celta que vinha das costas até o abdome. — São lindas. Imagino que devam ter doído muito; acho que você as queria de verdade.

Passar horas sendo furado por agulhas não chegava nem aos pés da dor que sentia com os socos do pai. Pelo menos as tatuagens o faziam sentir-se mais forte. Mais durão. Como se os guerreiros celtas do passado estivessem nas asas, esperando para ajudá-lo quando mais precisasse.

— Me diga o que elas significam. — Diante do silêncio dele, ela ergueu os olhos e o encarou de novo. — Por favor.

Será que ela sabia que ele nunca poderia lhe recusar nada se olhasse para ele daquele jeito e pedisse de uma maneira tão doce? Será que tinha ideia da força com que o segurava entre seus dedinhos, fazendo um garotinho rancoroso de 10 anos sentir-se completamente fascinado por ela?

— Este aqui é um dragão celta.

— Estamos sempre tão ocupados tran... — Ela corou. — Nunca tinha a chance de ver de perto. — Passou as pontas dos dedos sobre a tatuagem, a respiração quente sobre a pele dele. — É maravilhoso. O que significa?

Ele nunca compartilhara o simbolismo, ou os motivos, com ninguém. Até agora, nunca tivera vontade. Até Sophie.

— Aquele que conquista o dragão.

— E essa aqui em volta do seu braço? O que significa?

— A força do guerreiro.

— E o duende no seu antebraço? Por que tem os punhos erguidos?

Ele a teria mandando ficar quieta se achasse que adiantaria. Mas tinha absoluta certeza de que ela não sossegaria enquanto não tivesse todas as respostas. E, se não explicasse, ela simplesmente procuraria em um dos seus livros. Qualquer um que achasse que Sophie Sullivan fosse ingênua estava muito enganado.

— Duendes são lutadores.

— Que engraçado; sempre achei que fossem mais como malandrinhos escondendo um pote de ouro. — Ela colocou a mão mais para cima do peito dele, no ombro direito. — Este aqui parece um escudo.

— E é.

Ela inclinou a cabeça para o lado e perguntou:

— Nenhum trevo de quatro folhas?

— Nunca acreditei na sorte. — Ou em qualquer das outras coisas que as quatro folhas representassem, como esperança e fé. Ou amor.

Ele amara Sophie durante quase toda a sua vida. E como não poderia? Mas nunca acreditara que pudesse ser amado de volta... nunca acreditara na possibilidade de a sorte, a esperança e a fé baterem à sua porta em Napa e entrarem em sua vida.

Sophie colocou a mão aberta sobre o peito dele, bem no lugar do coração, e olhou-o.

— Força. Símbolos de batalhas. Guerreiros. Escudos.

Ele podia ver a tristeza que ela tentara esconder dele no restaurante, quando finalmente havia lhe contado sobre seu pai e sua mãe. Ela ficou de quatro e engatinhou por cima dele.

— Será que podemos fingir que tem mais uma tatuagem, bem aqui? — Ela deu um beijo sobre o peito dele, no lugar do coração.

Jake não conseguiu responder, não conseguiu falar, não conseguiu fazer nada a não ser puxá-la até ele para beijá-la.

— Obrigada por responder às minhas perguntas — ela acrescentou com uma voz rouca quando ele finalmente a soltou. — Se não estivesse tão atrasada para o trabalho, agradeceria a você de forma mais adequada. — Ela pressionou mais um beijo nos lábios dele e então foi tomar banho.

Jake lembrou-se do que Chase lhe dissera no dia do casamento: que Chloe valia muito mais do que mil orgias. Não tinha acreditado, mas agora conhecia a verdade: um sorriso de Sophie, um beijo dela, juntamente com o amor que tinha declarado a ele, significavam milhões de vezes mais do que qualquer outra coisa no mundo.

CAPÍTULO VINTE

Uma hora depois, Jake e Sophie estavam parados em frente aos degraus da biblioteca. Ela havia de novo prendido o cabelo naquele pequeno coque sexy, e, ao dar-lhe um beijo de despedida, Jake enroscou os dedos nele e o soltou.

— Saber que vai passar o dia aí dentro desse jeito me deixaria muito, muito perturbado. — A brincadeira de bibliotecária daquela manhã fora uma das coisas mais sensuais pelas quais ele já tinha passado. — Você não está com aqueles óculos aí, está?

Jake amava o som da risada dela, tão solta, tão linda. Mas então o sorriso dela transformou-se em incerteza.

— Jake, quer entrar comigo hoje?

Como ele não respondeu imediatamente, ela prosseguiu:

— Adorei passar um tempo com você no pub. Foi legal vê-lo na sua mesa, trabalhando sobre as planilhas e dando ordens aos seus funcionários, como um tirano. — Olhou para ele com aqueles olhos absolutamente grandes e lindos. — Achei que talvez quisesse saber onde passo os meus dias.

Jake sabia que estava mais do que na hora de parar de ser um covarde. Bibliotecas não eram o seu lugar favorito, mas não podia evitá-las para sempre.

— Bom — ele falou devagar —, se você concordar em prender o cabelo para cima e for comigo para um cantinho escuro...

Sophie deu um tapa no braço dele e exclamou:

— Jake!

No entanto, o sorriso que mal conseguia conter e o jeito sensual como passou as mãos sobre o braço dele antes de enroscarem os dedos enquanto iam em direção aos degraus da porta da frente indicavam o quanto ela tinha gostado da provocação dele.

Jake segurou a porta para ela, mas Sophie parou e respirou fundo, apertando a mão dele com força.

— Sophie? O que foi?

Ela balançou a cabeça, respirando algumas vezes antes de dizer:

— Nada. Acho que subi as escadas rápido demais. — Ela puxou-o para dentro do prédio, já corada novamente, graças a Deus. — Não é incrível?

Jake tinha que admitir que o prédio era impressionante. O teto abaulado da sala principal tinha a altura de pelo menos três andares. A partir de certo ponto, havia murais pintados à mão, e mesmo uma pessoa que não gostasse de ler, como ele, podia adivinhar que eram cenas da literatura clássica.

— Sophie, oi!

Uma mulher, que ele imaginou ser uma colega de trabalho de Sophie, praticamente correu para cumprimentá-los. A mão de Sophie retesou-se por alguns segundos, e Jake puxou-a para mais perto.

Os olhos da mulher iam de um para o outro.

— Esse é seu... *amigo*?

Era quase impossível deixar de lado a necessidade de declarar ao público sua posse sobre Sophie; no entanto, a semana ainda não havia terminado. E essa seria uma boa oportunidade para ver em que pé estava a decisão dela com relação a deixá-lo permanecer em sua vida. O jeito como tinha feito amor com ele naquela manhã havia lhe dado uma parte da resposta.

Até Sophie apertar-lhe a mão e virar-se para ele com um sorriso radiante, Jake não tinha percebido que estava segurando o fôlego.

— Este é o Jake. — Ela não tirou os olhos dele nem por um segundo, antes de continuar: — Meu namorado.

Não havia como impedi-lo de beijá-la. Depois de dar um beijo muito mais curto do que gostaria, em respeito ao trabalho dela, Jake esticou a mão para cumprimentar sua colega de trabalho.

— Prazer em conhecer você.

— Uau, é realmente um prazer conhecer você também. Não acredito que a Sophie manteve você em segredo esse tempo todo. Você não é o dono dos McCann's Pubs?

Ele tinha certeza de que Sophie não percebera que, nesse momento, tinha colocado a mão livre sobre a barriga. Dois outros segredos logo, logo seriam revelados, querendo ou não.

Sentindo que Sophie não estava totalmente à vontade com a mulher, ele concordou:

— Sim, sou eu mesmo. Qualquer dia dê uma passada lá para tomar uma cerveja por conta da casa. — E virou-se para Sophie, sugerindo: — Por que não me mostra tudo por aí antes de eu ir para minha reunião?

Os olhos da mulher continuaram sobre eles enquanto Jake a levava para a direção oposta.

— Obrigada por nos tirar de perto dela — Sophie cochichou.

Ele sentira-se da mesma forma quando ela o ajudara com a bagunça no pub no início da semana. Será que seria desse jeito, quando fossem cuidar juntos de duas crianças?

Gostava de formar um time com ela.

Que droga! Gostava de fazer qualquer coisa junto com Sophie.

Em sua mesa, Sophie trancou a bolsa na gaveta de baixo e então sugeriu:

— Sente-se um minuto. Tem uma coisa que eu quero que veja.

Depois, em pé atrás dele, com as mãos sobre seus ombros, ela disse:

— Não é a melhor vista do mundo? Não há nada que não se possa aprender, nada que não se possa ser aqui dentro.

Jake estava diante de milhares de livros, de pessoas lendo e aprendendo. Já estivera no topo da Torre Eiffel e olhara para as ruas parisienses pelas grades, já havia explorado as pirâmides do Egito, já se encantara com a água azul-esverdeada que parecia estender-se para sempre nas praias da Tailândia. Nunca imaginara que alguma outra paisagem pudesse ser melhor do que aquelas.

Porém, naquela manhã na cama com Sophie, ao vê-la sorrindo para ele, descobrira o quanto estivera enganado.

Nunca adoraria estar em uma biblioteca, devido a seus problemas com a leitura, mas isso não queria dizer que não entendesse, nem que não desse valor a quanto esse mundo era importante para Sophie.

— Preciso dar início à Hora da História em alguns minutos — ela explicou a ele, apontando para um grupo de criancinhas e suas mães, que se juntavam sobre um tapete colorido. — Adoraria se pudesse ficar um pouquinho mais.

Jake sabia que já estava tomando muito tempo dela, sem falar de todas as maneiras como a havia monopolizado nos últimos dias. Além disso, na última meia hora seu telefone não parara de vibrar dentro do bolso, com ligações de sua assistente, que trabalhava na administração do McCann's no centro da cidade, sobre todas as reuniões que ele vinha ignorando descaradamente. Teve vontade de atirar o telefone pela sala e vê-lo despedaçar-se, mas não podia ignorar as demandas do trabalho por tanto tempo. Principalmente agora, quando tinha que pensar além de si mesmo.

Mesmo assim, ainda não podia ir embora. Não podia deixar passar a maravilhosa oportunidade de sentar-se e olhar mais um pouco para Sophie.

— Claro. Adoraria vê-la em ação.

Jake foi presenteado com mais um dos sorrisos radiantes de Sophie.

— Talvez pudesse até ler para as crianças.

O pânico tomou conta dele diante daquela sugestão inocente. Não que não pudesse ler um livro infantil. Claro que podia. Mas ler em voz alta na frente de outras pessoas? E se parasse em alguma palavra? E se tropeçasse em alguma frase? E se ficasse tão distraído pela proximidade de Sophie a ponto de as palavras tomarem conta de seu cérebro como sempre fizeram, e não da maneira como tinham que se comportar?

Não.

De jeito nenhum.

Ele balançou a cabeça, tentando fazer parecer que não era grande coisa não querer ajudá-la com a Hora da História.

— Vieram aqui para ver você.

Ela franziu o cenho diante da recusa dele.

— Tá bom. Mas, se mudar de ideia, me avise.

Ele concordou, mesmo sabendo que as chances disso acontecer eram tão impossíveis quanto jogar bolas de neve no inferno.

Sophie apresentou-o a algumas pessoas enquanto atravessavam a sala enorme. Podia sentir o orgulho na voz dela cada vez que o apresentava como seu namorado. A culpa tomou conta dele, mais forte do que nunca. Deveria ter ido com ela revelar tudo à família assim que ela lhe contara que estava grávida.

Mas tinha sido muito covarde. De novo. Tivera muito medo de que eles percebessem que não era digno dela e tentassem afastá-lo antes que tivesse qualquer chance de convencê-la a casar-se com ele.

Sophie levou-o até um assento desocupado e inclinou-se para sussurrar:

— Pare de ser tão lindo. As mães vão ficar muito ocupadas olhando para você e não vão ouvir uma só palavra das histórias.

Jake sabia exatamente do que ela estava falando: ele mesmo mal conseguia entender o que ela acabara de lhe dizer, com aquele cabelo macio roçando-lhe a pele, o perfume doce espalhando-se sobre ele e as curvas dela pressionando-o levemente.

— Estou feliz por você estar aqui. — Ela beijou-lhe os lábios levemente antes de virar-se para cumprimentar as crianças como se fossem velhos amigos de quem ela estava morrendo de saudades.

Jake observou as criancinhas juntarem-se em volta dela cheias de alegria, até mesmo os bebês engatinhando do colo das mães para chegarem mais perto, e seu coração virou-se do avesso.

Todo mundo na vida dele era tão previsível, mas não essa linda mulher, toda animada, lendo um livro sobre um elefante e um porco que estavam brincando de bola. Enquanto as crianças riam com ela quando o elefante perdeu a bola, Jake se deu conta de que Sophie Sullivan era a única pessoa que o mantinha em estado de alerta.

Não conseguia mais imaginar o que seria a vida sem Sophie. Sem o brilho dela. Sem o sorriso dela.

Quando criança, ela era um doce e ele se encantara com ela, mesmo contra a vontade. Como mulher, ela era sensual e inteligente, sexy e meiga, milhares de contradições embrulhadas em um mesmo pacote irresistível.

Ele tinha pedido uma chance, sete dias para provar que era capaz de cuidar dela e dos filhos. Ela lhe dera esse presente temporário, e agora ele tinha que retribuir o presente: o apoio da família dela no momento em que mais precisava.

Jake deu uma última e longa olhada para a mulher que tinha ido do papel de "bibliotecária pervertida" a "porquinho bobão" em uma única manhã, e soube que nunca haveria melhor razão para entrar no inferno onde estava prestes a entrar, de livre e espontânea vontade.

Sophie ergueu os olhos do livro que acabara de ler e viu Jake jogando-lhe um beijo antes de ir embora. As mulheres no evento praticamente suspiraram em uníssono.

Ela não conseguiu impedir o sorriso enquanto admirava as costas largas, os quadris estreitos, o jeito como as pontas do cabelo dele se enrolavam levemente sobre o colarinho. As coisas tinham mudado entre eles nas últimas 24 horas.

Ele pedira uma semana, mas parecia que conseguiria cumprir sua meta antes do prazo. Não era à toa que ele gostava de provocá-la com relação a esse assunto, ela pensou com outro sorrisinho.

Sophie despediu-se das crianças e dos pais, então voltou para sua mesa no momento em que um garoto de 10 anos apareceu.

— Preciso escrever o relatório de um livro sobre o Abraham Lincoln, mas o único livro que consigo achar é este aqui. — O garoto segurava um tomo grosso e empoeirado, que até mesmo ela não gostaria de ler.

Alguma coisa no garoto a fazia lembrar-se de Jake. Não pelas similaridades físicas, mas pelo comportamento, pela maneira como ele se colocava. Ela conhecera Jake com essa idade e, para uma garotinha de 5 anos que o idolatrava, ele era algo maior do que a vida.

— Não consigo ler muito rápido nem muito bem — o garotinho explicou a ela, as bochechas corando diante daquela declaração.

Mais uma vez, ela não conseguia parar de se lembrar de Jake. E do olhar levemente assustado quando lhe pedira para ajudar a ler para as crianças.

— Sabe se tem algum outro menor? Com palavras mais fáceis?

Sophie sorriu para ele.

— Claro, venha comigo.

Enquanto ajudava o garotinho a encontrar os livros de que precisava, ela não conseguia parar de pensar em Jake, e no fato de ele nunca ter estado na biblioteca e de não ter encontrado nenhuma pilha de livros na casa dele. Não esperava que todo mundo fosse viciado em livros tanto quanto ela; no entanto, sabia, por experiência própria, que a não ser que tivessem grandes problemas de leitura, geralmente as pessoas sempre encontravam alguma coisa que gostassem de ler.

Nesse momento, sentiu uma onda de náusea e perdeu a linha de raciocínio. Seus músculos de repente ficaram doloridos e, pela primeira vez, desde que ficara grávida, precisou sentar-se. Sophie agarrou o primeiro banquinho e afundou-se nele enquanto respirava fundo. Quem diria que os enjoos matinais poderiam acontecer tão no final dos primeiros três meses de gravidez?

Porém, ela pensou com um sorrisinho, nada sobre essa gravidez, ou sobre o homem que amava, se encaixava nos padrões, não é mesmo?

E ela não queria que nada disso, nem Jake, fossem diferentes.

O sol já estava se pondo quando Jake finalizou as reuniões intermináveis que tinha postergado durante toda a semana. Encontrou Zach Sullivan na garagem particular do prédio principal da Auto Sullivan, debaixo de uma antiga caminhonete Ford dos anos 1920, a qual ele, obviamente, estava reconstruindo do zero.

Zach já tinha passado tempo suficiente no chão para reconhecer a maioria das pessoas pelos sapatos.

— Saio em um minuto — ele informou a Jake.

Há quanto tempo conhecia Zach? Durante mais de 20 anos tinham dado cobertura um ao outro durante brigas, garantiram que iriam chegar em casa sãos e salvos, xingaram e torceram por times de esporte. No entanto, uma coisa que nunca tinham feito juntos fora sentar-se e compartilhar os *sentimentos*.

Uma semana atrás — que diabos, na verdade, dois meses e meio atrás —, Jake deveria ter aberto o jogo sobre Sophie. Não estava a fim de continuar a ser um mentiroso covarde nem por mais cinco segundos.

— Sophie e eu estamos juntos.

Zach saiu de debaixo do carro tão rápido quanto o vento.

— O que acabou de dizer?

O tom de ameaça da pergunta de Zach impressionou ainda mais pela firmeza de sua voz. Como se estivesse pedindo um copo de água.

— Sua irmã está grávida. Vamos ter gêmeos.

As mãos do amigo estavam na garganta dele um milésimo de segundo depois.

— Vou matar você! E ninguém vai nem sentir falta!

Jake achou que Zach estava certo sobre uma coisa: ninguém se importaria se ele morresse. Mas, Sophie, sim. Seus filhos, sim.

Pensar neles o fez sentir-se forte o bastante para revidar contra Zach, que veio para cima dele com tudo. Nada estava fora do alcance dele: cabeça, dentes, cabelo, pés, direto ao ponto. Jake já esperava isso, teria ficado furioso com seu amigo caso não tivesse agido assim para defender a irmã. Infelizmente, saber que receberia aquele tratamento não fazia a dor diminuir. E, mesmo em modo absolutamente defensivo, Jake precisou dar uns bons socos em Zach só para tentar permanecer de pé.

Os dois sangravam, um em cada canto da garagem, quando Zach colocou para fora:

— Já deixei muitos caras no chão antes por mexerem com as minhas irmãs, mas nunca pensei que você seria um deles. Ninguém jamais vai ser bom o bastante para elas! Como ousou colocar um dedo na Sophie?

— É, não deveria. — Mas tinha feito. Mais de uma vez. E recusava-se a pensar em abrir mão dela agora. Não faria mais isso por ninguém, nem mesmo pelas pessoas que ajudaram a criá-lo, que lhe deram um lar e uma família com quem contar quando não tinha mais nada ou ninguém a quem recorrer. — Vou me casar com ela.

— Olha aqui — Zach fungou com as narinas abertas. — A Boazinha sempre teve uma queda por você. Você tirou vantagem disso e agora ela está grávida. Não torne as coisas piores casan...

— A Sophie é mais do que uma porcaria de palavra!

A voz de Jake foi alta o bastante para ecoar para fora da garagem, mas não estava nem aí se alguém o escutasse. Era hora de os irmãos dela enxergarem a verdadeira Sophie do mesmo jeito que ele. Mais do que *Boazinha*.

— É verdade, sua irmã é boazinha. E carinhosa. Mas ela também é legal e aventureira e capaz de se arriscar em situações para as quais a maioria das pessoas daria as costas. Sinceramente, ela é mais mulher do que eu possa dar conta, mas vou fazer das tripas coração para ficar à altura dela e dos nossos filhos.

Se fosse qualquer outra pessoa, Jake teria virado as costas e ido embora. Mas Zach sabia de todas as coisas mais sórdidas que ele já fizera na vida; e era o único que sabia que ele não aprendera a ler até os 10 anos de idade... pois fora o amigo que o ensinara a juntar as letras e formar palavras.

— Eu a amo. — As três palavras que ele nunca imaginara ter que admitir a qualquer pessoa soaram como se tivessem sido arrancadas das pedras. — Sempre a amei.

Jake tentou preparar-se para o salto de Zach para matá-lo. Em vez disso, o irmão de Sophie escorregou de costas na parede e concordou:

— Eu sei.

O queixo de Jake poderia ter caído no chão se ele não o estivesse segurando para tentar manter os ossos no lugar.

Zach colocou dois dedos na frente do próprio rosto e esforçou-se para focar neles, deixando-os cair com uma expressão irritada.

— Você é apaixonado por ela desde que éramos crianças. — Zach forçou-se a ficar em pé. — O Smith vai ficar louco com isso. Todos vão.

Jake sabia muito bem que essa seria só a primeira das muitas surras ainda por vir das mãos dos Sullivan. Usou um carrinho de ferramentas para apoiar-se e ficar em pé.

— Ela vale a pena.

— É claro que minha irmã vale a pena! — Zach olhou com cara feia. — Não posso acreditar que vou ter que escrever outro discurso. Quase morri para escrever o último.

— Você escreveu o discurso do brinde ao casamento do Chase com antecedência? Foi o pior que já ouvi na vida.

— Prepare-se para ouvir um pior ainda.

Isso não era nem um pouco engraçado. Não deixaria que Zach fizesse nada que pudesse magoar Sophie.

— Eu mesmo vou escrever seu discurso e você vai dizer palavra por palavra. E — Jake advertiu o amigo — prometi à Sophie que a deixaria contar à família sobre a gravidez quando estivesse pronta, então não estrague a grande novidade contando a alguém antes dela.

Zach abaixou os olhos até os punhos fechados de Jake e balançou a cabeça.

— Meus irmãos estão perdendo a cabeça pelas mulheres, um por um. Mas ver você desse jeito... pela minha irmã. Zach abriu uma gaveta de metal e revelou seu barzinho secreto. Serviu-se de uma grande dose de *scotch* e engoliu-a de um gole só. — Ah, o amor — ele fungou.

Zach serviu-se de outra dose enquanto Jake voltava ao carro para ir dizer a Sophie que a amava.

Sempre a amara.

E sempre a amaria.

CAPÍTULO VINTE E UM

Sophie caminhava pelo corredor em direção a seu apartamento, folheando as correspondências que não recolhera a semana toda, quando ouviu uma voz baixa chamá-la:

— Sophie.

— Você me assustou! — ela deu um gritinho, quase derrubando a pilha de correspondências. — Ah, meu Deus, Jake! — As contas e propagandas caíram da mão dela.

Ele parecia ter levado uma surra em um beco, coberto de escoriações e sangue seco, da testa ao queixo.

— Parece pior do que realmente é. — Ele tocou na mandíbula. — Deveria ter passado em casa antes para me limpar. — Mesmo com os hematomas e os cortes cobrindo-lhe o rosto, continuava absurdamente lindo ao perguntar: — Tem alguma chance de você ainda lembrar como se faz curativo em um cara, depois de uma briga?

Sophie sabia que tinha que destrancar a porta e levá-lo para dentro, mas precisava abraçá-lo naquele exato segundo. Ela abriu os braços e ele caminhou para dentro deles, apertando-a contra si.

— É tão bom ver você — disse com o rosto enfiado nos cabelos dela. — Tão bom abraçar você.

Ela não sabia quanto tempo ficaram daquele jeito no meio do corredor. Tudo o que sabia é que não queria soltá-lo. Tudo parecera tão perfeito naquela manhã, como se, talvez, houvesse uma chance de serem "felizes para sempre".

Sem tirar a cabeça do peito de Jake, Sophie perguntou:

— Quem fez isso com você?

Jake finalmente desvencilhou-se dos braços dela.

— Vamos entrar.

Ela franziu o cenho. Aquilo não era uma resposta.

As mãos dela tremiam levemente ao enfiar a chave na fechadura, mas tentou ficar calma enquanto foi até a cozinha, achou uma toalha limpa e abriu a torneira com um jorro de água morna para molhá-la. Deus, odiava ver Jake machucado. Ele era tão maior do que ela, mas queria protegê-lo, queria garantir que ele não tivesse mais dor do que já provara na vida.

A voz dele soou atrás dela:

— Fui ver o Zach agora à noite.

Ela virou-se da pia, esquecendo-se da toalha molhada na mão e espalhando água nas paredes.

— Por quê? — Ela sabia por quê. — Você contou a ele sobre nós, sobre a gravidez, não contou? — Quando ele não negou, a mágoa tomou conta dela enquanto continuava: — Como pôde fazer isso? Você me prometeu que esperaria! Prometeu que me deixaria resolver as coisas antes. — Ela o amava, sempre o amaria, mas estava muito brava com ele também. — Por que me pediu uma semana se, na verdade, não a daria para mim?

— Você fica se agarrando a essa coisa de uma semana, mas, depois de ontem, depois de hoje de manhã, sabe tanto quanto eu que as coisas entre nós são diferentes agora.

— Diferentes? *Diferentes*? Como as coisas poderiam ser diferentes se você continua a agir como se mandasse no mundo e o restante de nós devesse obedecer cegamente a todas as suas ordens?

— Não vou ficar escondendo a verdade da sua família.

— A *verdade*? E qual verdade é essa, exatamente? Que você não tem o mínimo de respeito pelas minhas vontades? Que simplesmente tem o que quer, quando quer? Que é tão importante me fazer casar com você que precisou, contra minha vontade, contar ao meu irmão que tinha cometido o erro de dormir comigo e me engravidar?

— Quer escutar a porcaria da verdade?

Jake nunca tinha levantado a voz para ela desse jeito antes; nem ela para ele.

— Claro que quero, mas você não seria capaz de reconhecer a verdade mesmo que ela batesse na sua cara, como os socos do meu irmão!

O silêncio abrupto que se seguiu foi diferente de tudo que ela já experimentara antes.

— Estou apaixonado por você, Sophie.

Sophie esperara por esse momento a vida toda... mas nem em seus sonhos mais absurdos imaginara ser desse jeito, enquanto gritavam um com o outro, quando estava furiosa com ele.

— Sou apaixonado por você desde quando éramos crianças, desde a primeira vez que uma garotinha de 5 anos olhou para mim e me perguntou se eu queria brincar de boneca.

— Você disse que não. — As palavras, as lembranças, vieram à tona antes que ela pudesse impedi-las. — Você disse que não brincaria de boneca comigo nem se alguém colocasse uma arma na sua cabeça. Me deixou assustada. — E atraída, na mesma proporção. Mesmo naquela época, sabia que ele não deveria estar falando sobre armas com uma garotinha de 5 anos, mas Jake não seguia as regras de ninguém. Ao contrário de Sophie, que sempre agia de acordo com as regras... até o casamento de Chase, quando as deixara de lado por desejo.

E amor.

— Eu só disse essas coisas porque odiava como me sentia quando você olhava para mim. Como ainda me sinto toda vez que estou com você. Que droga, Sophie, toda vez que penso em você, sinto como se finalmente tivesse encontrado algo, alguém que realmente faça diferença. Só que nunca tive a menor ideia do que fazer para ter você, de como ser digno de você.

Quanto tempo quisera acreditar que fizesse diferença para ele? Acreditar que o amor impossível fosse possível?

Os braços de Jake a envolveram quando ele se sentou na cadeira da cozinha e puxou-a para o colo dele.

— Sei que pisei na bola. Feio. — Ele tirou uma fio de água do rosto dela. — Sou um idiota, lembra?

— Não — ela teve que discordar —, não é. Você é tudo menos isso, Jake. Mas foi como se ela nunca tivesse falado.

— Por favor, me deixe recompensar você. — Ele passou os dedos pelos cabelos dela, puxou-a para mais perto. — Por favor, não fique brava comigo. Não me mande embora. Mesmo que eu mereça.

Amar e odiar alguém ao mesmo tempo era uma sensação muito louca. Sophie sabia isso, mas nunca fora capaz de impedir o que sentia por Jake.

Tudo de uma vez, a semana repleta de altos e baixos, de animação e medo, de alegria e fúria, tomou conta dela. Não queria pensar sobre as consequências da conversa que ele acabara de ter com Zach, não conseguia nem começar a processar o que seria ter o amor real e verdadeiro de Jake.

Tudo o que queria era sentir.

— Preciso de você. — A garganta dela estava embargada de emoção. — Faça amor comigo.

Talvez, ela pensou enquanto brigava freneticamente com a fivela do cinto dele, fosse mais fácil de acreditar se estivessem com a pele sobre a pele, conectados pela carne, pelo calor e pelo prazer. Talvez, então, fosse capaz de acreditar nas palavras de amor dele em vez de sentir que simplesmente lhe escapavam, fugindo antes que ela pudesse alcançá-las.

— Sophie, sabe que quero você. Sempre quero você. — No entanto, em vez de ajudá-la a lhe tirar as roupas, ele colocou as mãos sobre as dela. — Mas não temos que fazer...

— Por favor.

Ela não queria apertar o botão do "Pause"; não aguentaria se ele tentasse ser racional em vez de possuí-la. Desceu o zíper da calça dele e puxou a camisa para fora da calça um minuto antes de Jake lhe dar o que queria, abrindo o zíper de sua saia e puxando-a para baixo dos quadris. Ela abaixou-lhe o jeans pelas coxas, então lhe tirou os sapatos. A ponta dos dedos dele tocou a pele nua da barriga dela, puxando o suéter por cima de sua cabeça antes de ela abrir os botões da camisa de manga longa dele. Um minuto depois, Sophie estava montada nele, encaixada sobre ele, fechando os olhos enquanto tomava-o dentro de si.

Sim, era exatamente disso que ela precisava agora. Prazer no lugar da confusão. Êxtase no lugar do medo.

E, mesmo assim, lembrou-se tarde demais de que sexo com Jake não era tão simples assim, nunca fora só pelo prazer. Sempre fora uma combinação tão perfeita, seus corpos absolutamente em harmonia um com o outro, mesmo durante aquela primeira noite roubada em Napa.

Desta vez, não era só a atração que os unia, não era só aquela fagulha de excitação e prazer que fazia tudo parecer tão bom. Era a possibilidade de que a magia entre eles fosse mais do que à flor da pele, mais do que hormônios e paixão inevitável.

— Sophie — Jake grunhiu seu nome e ela foi pega pelo olhar escuro dele, fazendo-a parar com seus movimentos frenéticos, as mãos fortes sobre os quadris dela. — Você é tão linda. — Ele deslizou a mão para pegar-lhe os seios, abaixando-se para passar a língua sobre cada mamilo. — Amo tanto você, tanto.

Uma golfada de puro êxtase aproximou-os ainda mais, envolvendo-os enquanto Jake mergulhava o rosto no peito dela e estremeciam de prazer um contra o outro.

Quando Jake levou-a para o chuveiro alguns minutos depois, Sophie teve a chance de ver a extensão do estrago causado pela briga com seu irmão. Além das escoriações por todo o rosto e da mancha roxa sobre o olho, as costelas do lado direito estavam ficando pretas e azuladas.

— Não posso acreditar que o Zach fez isso com você. — Ela limpou suavemente os cortes com uma toalhinha macia e sabão, odiando a maneira como Jake piscava a cada toque.

— Você é irmã dele. Ele está achando que a decepcionou por não tê-la protegido de um cara como eu.

A raiva tomou corpo dentro dela, não só por Zach ter feito o que fizera a Jake, mas por sua família inteira.

— Por que nenhum deles percebe que posso tomar conta de mim mesma?

— Não os culpe por amarem você.

Ela balançou a cabeça.

— Será que é realmente amor se não existe confiança também?

Jake ficou completamente paralisado.

— Sophie, eu...

Ele parou de falar, e, ao olhar para ele, Sophie pôde ver seus olhos brilhando com a emoção que tentara esconder tantas vezes antes.

Nesse momento, as mãos dele acomodaram-se nos quadris dela e ele virou-se para afastá-la antes de declarar:

— Sempre quis lavar seu cabelo.

Ela sabia o que ele estava fazendo, tentando evitar outra conversa que precisavam ter. Sobre confiar um no outro para não fazerem coisas como ir falar com o irmão dela escondido. Mas sentir os dedos dele massageando-lhe o couro cabeludo era tão bom que ela simplesmente não tinha forças para fazê-lo parar.

— Feche os olhos.

Ela já estava um passo à frente, tendo fechado os olhos no momento em que ele começara a dar banho nela. Espuma e água escorriam pelos ombros, pelo corpo dela, enquanto ele limpava cada centímetro de sua pele, com um toque tão gentil, tão carinhoso. Principalmente sobre sua barriga.

— Você já está maior.

Ela não pôde deixar de notar o tom de reverência na voz dele. Talvez em outro momento pudesse fazer uma piada sobre o fetiche com mulheres grávidas, mas não agora, quando a alegria dele era tão pura, tão sincera.

— Mal posso esperar para vê-la ainda maior, mais macia.

O estômago dela roncou bem alto e ele desligou a água, enrolando-a em uma toalha.

— Parece que está na hora de alimentar você de novo.

— Tenho ovos e queijo na geladeira. — Ela sentia a voz sair distante, como se estivesse em pé do lado de fora do banheiro olhando para os dois.

Jake abaixou o rosto até o dela e beijou-a tão suavemente que parecia mais um suspiro do que um beijo.

— Vou começar a fazer o jantar enquanto você se troca.

Depois de vestir o jeans novamente e sair do banheiro, Sophie olhou-se no espelho esfumaçado. A imagem turva e parcial olhando-a de volta era uma manifestação perfeita de como estava se sentindo.

Ela acabara de conseguir exatamente o que sempre quisera. Jake McCann lhe dissera — várias vezes — que a amava. Deveria estar em êxtase. Deveria estar pulando de felicidade pelo apartamento.

O que havia de errado com ela?

Sentiu como se um bloco de cimento tivesse crescido no meio de sua barriga, bem entre os dois fetos que tinha visto na tela de ultrassom alguns dias antes. Na verdade, não havia se sentido bem o dia inteiro e achava que fosse por causa do enjoo matinal.

Jake olhou-a com um sorriso quando se juntou a ele.

— Bem na hora.

Sophie sentou-se ao lado dele na ilha da cozinha, onde ele colocara um prato cheio de comida. Ela pegou o garfo, espetou alguns pedaços de ovos e assoprou a fumaça, ainda que o cheiro da comida a fizesse querer vomitar.

— Sophie? Você está bem?

Jake foi para perto dela, a expressão profundamente preocupada estampada no rosto.

Ela tentou sorrir para garantir que estava bem, mas tudo que conseguiu dizer foi:

— Só estou cansada. Muito, muito cansada.

— Que droga! Sabia que não devia ter levado você para lá e para cá pela cidade ontem.

Ela não resistiu quando ele a pegou no colo e carregou-a até o quarto. Seus braços estavam retesados e muito pesados, e a exaustão tomou conta dela de cima a baixo no mesmo momento em que pousou a cabeça sobre o travesseiro.

Jake sentou em uma cadeira no canto do quarto escuro de Sophie e observou-a dormir, cada respiração dela indo e vindo no peito dele, como se estivesse respirando junto com ela.

Tinha jurado a si mesmo nunca sentir-se desse jeito, nunca se importar com alguém dessa maneira, nunca ter que pedir ajuda de novo. Ainda podia se lembrar do dia em que tinha ido para casa pedir ajuda ao pai. Estava na quarta série e estava ficando quase impossível manter o fingimento todos os dias.

— *Não consigo ler.*

O pai olhara para ele com desprezo.

— *É tudo culpa da sua mãe. Aquela puta idiota não conseguiu nem ao menos me dar um filho com cérebro.*

Jake dera meia-volta e saíra do apartamento antes que pudesse se envergonhar ainda mais com as lágrimas. Depois daquilo, ficara mais fácil fugir das aulas de leitura. Até o dia em que fora colocado em um projeto com Zach Sullivan. Aquele imbecilzinho metido tinha tudo e Jake o odiara à primeira vista. Odiara Zach ainda mais quando ele lhe dissera com todas as letras que não deixariam de fazer o relatório sobre o livro que tinham que fazer juntos.

Jake lembrava-se de como tentara levar tudo na brincadeira. *Livros são para fracassados.*

Zach conseguira enxergá-lo perfeitamente. Talvez outras pessoas tivessem adivinhado, mas nenhuma delas ousara falar sobre isso com Jake. Não da maneira objetiva como Zach fizera. *Você não sabe ler, né?*

Jake dera o primeiro soco, mas Zach não demorara a reagir. Os dois garotos se bateram muito antes de um professor vir separá-los. A mãe de Zach fora até a escola para levar o filho expulso para casa. Mas ouviram dizer que ninguém viria para buscar Jake e, antes que ele pudesse inventar uma maneira de sair dessa, Mary Sullivan tinha os dois garotos no banco de trás de sua van. Minutos depois, estavam sentados em frente de um enorme prato de biscoitos e dois grandes copos de leite. O livro sobre o qual deveriam fazer o relatório, *O Leão, a Bruxa e o Guarda-Roupa*, estava sobre a mesa entre eles, juntamente com um grosso dicionário azul que tinha sido, visivelmente, muito usado.

— Me avisem se precisarem de ajuda, garotos.

Ela não gritara com eles, não tinha dado uma surra em Zach nem o chamado de burro. Também não cheirava a bebida. Jake não podia acreditar que existisse alguém como ela, não conseguia parar de fantasiar sobre como teria sido sua vida se tivesse uma mãe como aquela.

Depois de a Sra. Sullivan ter saído da sala, Jake tinha se fechado em um círculo de nervos e bravatas, esperando Zach fazer piadas e irritá-lo por causa de sua burrice, mas tudo que o cara fizera fora enfiar um biscoito de chocolate dentro da boca, abrir o livro e começar a lê-lo em voz alta, cuspindo pedaços em cima das páginas.

Zach nunca falara sobre o problema de leitura dele de novo, mas, de alguma forma, depois daquele incidente, os dois sempre terminavam fazendo os projetos de leitura juntos.

Conhecera a maioria do grupo naquela tarde, no quintal, com a bola de futebol americano que lhe acertaram na parte de trás da cabeça. A certa altura, Lori aparecera no meio do grupo, exigindo a atenção de seus irmãos maiores, querendo saber quem era o *novo garoto*.

Nunca conseguira imaginar ter seis irmãos. Devia ser fantástico ter alguém com quem brincar o tempo todo. E, então, do canto dos olhos, viu mais alguém. Ela poderia parecer exatamente com Lori, mas ele nunca seria capaz de confundi-las. Nem mesmo aos 5 anos de idade.

Ela estava sentada no canto do jardim, embaixo de um enorme carvalho, com um livro grande sobre o colo. Mas não estava olhando para o livro.

Estava olhando para ele.

Jake nunca vira uma pessoa tão quieta. Tão serena. Ou tão linda. Sophie Sullivan parecia uma daquelas princesas de um daqueles filmes aos quais, às vezes, assistia escondido nos cinemas.

Sophie se mexeu na cama nesse exato momento, como se estivesse procurando alguma coisa. *Procurando por ele*. Fez uma careta durante o sono antes de colocar o braço em volta do travesseiro e abraçá-lo mais forte junto de si.

Confiança.

Se havia alguém em quem queria confiar, era Sophie. Mas depois de passar a vida inteira escondendo a verdade de todos, manter segredos era o que ele sabia fazer melhor.

Nunca compartilhar.

Nunca confiar.

Nunca mais dar a alguém a chance de dizer que não era nada além do filho idiota de uma puta com um bêbado.

Mas, dessa vez, Jake sabia que tudo era diferente... porque não podia deixar de amar Sophie. E o que mais queria na vida é que ela o amasse de volta.

O que significava que teria que contar a ela logo, logo; teria que avisá-la que seus filhos poderiam não conseguir fazer exatamente a coisa que ela fazia com a maior facilidade.

Mexendo-se sem parar na cadeira, os olhos dele pousaram sobre o livro em cima da cômoda: *O Que Esperar Quando Você Está Esperando*.

Ler o livro esta noite seria uma tortura, mas isso não mudaria nada. Sempre haveria muitas palavras, e ele sempre teria que se esforçar ao máximo para que elas fizessem sentido em sua cabeça.

Porém, se havia alguma coisa digna da dor e do sofrimento de conseguir ler um livro inteiro, era Sophie... e os filhos que teriam no outono.

Pegando o livro, usou todos os truques para manter seu cérebro focado em uma palavra, uma frase, um parágrafo, depois o próximo. À medida que os minutos se tornaram horas enquanto virava as páginas, uma após a outra, e tomava consciência das advertências e dos riscos intermináveis da gravidez, Jake, na verdade, pegou-se querendo ser aquele garotinho de 10 anos de novo, que não conseguia ler nada.

CAPÍTULO VINTE E DOIS

Sophie dormiu a noite toda, mas não se sentia descansada. Sentia como se os olhos estivessem cheios de areia, e a boca estava seca. Sabia o motivo: Jake não tinha dormido com ela, não tinha enrolado seu corpo grande e quente em volta dela e a segurado bem perto. Mesmo dormindo, saberia se ele estivesse ali.

No entanto, ele nem se deitara com ela na cama.

Ela perguntou-se onde ele teria ido. De volta para casa, para repensar sobre o amor que tinha lhe declarado na noite anterior?

Estava tão perdida em suas reflexões profundas que quase não percebeu Jake sentado no canto do quarto. Ela sentou-se tão rápido que, durante alguns segundos, tudo girou.

— Ainda está aí? — Sentiu a garganta seca.

— Fiquei aqui a noite inteira.

Ele vestia o jeans da noite anterior e o cabelo estava virando nas pontas, como se o tivesse puxado. Parecia tão horrivelmente tenso.

Apesar de sentir-se como se fosse pegar uma gripe forte, Sophie empurrou as cobertas e estava prestes a se levantar para atravessar o quarto quando ele perguntou:

— Tem tomado café desde que ficou grávida?

Ela franziu o cenho diante da pergunta esquisita.

— Sim.

Os lábios dele se apertaram.

— Ficou perto de gatos?

Por que a estava tratando dessa maneira? Como se fosse uma ré no banco das testemunhas. Como alguém que tivesse feito tudo errado.

— Sim.

— E cobertores elétricos e banheira quente? Usou algum dos dois?

Obviamente que suas perguntas desconectadas deviam ter alguma ligação. Mas qual?

— Por que está me perguntando essas coisas?

Tudo doía agora, pior do que antes. Ela encostou-se de volta na cabeceira da cama, puxando um travesseiro sobre o colo para se segurar.

Ele tirou alguma coisa do colo. Era o livro *O Que Esperar Quando Você Está Esperando*.

— Passei a noite toda lendo isto aqui.

Ah, não. A médica tinha avisado a eles sobre o livro, mas Sophie não tinha pensado muito sobre isso. Agora, via que deveria ter pensado que Jake faria isso, querendo proteger a ela e aos gêmeos que carregava, deixando que todas as advertências do livro tomassem um tamanho desproporcional.

Mas, antes que pudesse dizer qualquer coisa para acalmá-lo, Jake levantou-se da cadeira, segurando o livro aberto.

— Tem que arranjar outra médica. Não posso acreditar que ela nos disse que não tem problema fazer sexo. Aqui diz que quando vai ter gêmeos precisa ser extracuidadosa durante a gravidez.

— Jake — ela disse com uma voz que esperava soar paciente sem ser condescendente —, minha mãe teve oito filhos. Até agora está correndo tudo bem com a minha gravidez. Isso aí são só coisas relacionadas às piores situações. Sei com o que devo tomar cuidado.

— Então, o que me diz disso? *Penetração profunda pode causar sangramento*. Se já sabia disso, então por que me deixou transar com você feito um animal? Não dava para ter ido mais fundo do que fui ontem à noite. Ou na piscina.

Sophie tentou não perder a paciência de novo.

— Mostre para mim onde está escrito isso.

Ele só queria o que era melhor para ela, tentava se lembrar, mas parecia ainda maior e mais forte do que nunca quando se levantou da cadeira e segurou o livro aberto na frente dela.

Mas, quando Sophie leu o trecho ao qual ele se referia, estava cansada demais para deixar sua irritação de lado.

— *Às vezes*. Aqui diz que *às vezes* a penetração profunda pode causar sangramento e para não se preocupar até que realmente aconteça! Será que não consegue nem ler? Ou só cria palavras para servir aos seus propósitos mandões?

Uma onda de náusea misturou-se à frustração dela, mas, mesmo tentando sair desse estado de enjoo matinal, pôde sentir a temperatura no quarto esfriar pelo menos uns 12 graus.

Durante todos os anos que conhecera Jake, nunca o vira desse jeito: tão distante, tão frio.

— Engraçado. Aqui estava eu tentando achar um jeito de contar a você — ele disse com uma voz áspera —, mas você já descobriu.

Ela mal podia respirar com ele olhando-a daquele jeito.

— Do que está falando?

— Eu mal consigo ler! — ele grunhiu. — É disso que estou falando.

O cérebro dela acelerou-se à medida que tentava raciocinar sobre o que ele estava dizendo. Jake McCann sempre fora dono do coração dela, desde o primeiro momento em que o vira jogando futebol americano com seus irmãos no quintal. Entretanto, até essa semana, quando ele insistira em passarem um tempo juntos, não sabia quão difícil fora a infância dele, nem dos detalhes de como havia construído seu negócio maravilhosamente bem-sucedido a partir do zero.

E ela definitivamente nunca soubera que ele tinha problema com a leitura. Ele nunca mencionara, nunca dera nenhuma pista sobre isso. Mesmo que tivesse lhe passado pela cabeça, ela teria deixado totalmente de lado, por tudo o que ele havia conquistado.

Chacoalhando a cabeça em confusão, ela refutou:

— Mas você acabou de ler o livro de gravidez inteiro!

— Dez anos de professores particulares foram o que me fez conseguir ler esse maldito livro. Nunca vou amar livros, Sophie. Nunca. — A expressão dele pareceu ainda mais amarga. — Estava certa, lá no consultório médico, quando me chamou de idiota.

— Ah, meu Deus, Jake. Não. Não quis dizer isso, sabe disso.

Mais do que nunca, precisava ser capaz de pensar claramente para convencê-lo de que o amava. Especialmente agora que sabia ter dito absolutamente a pior coisa que poderia ter dito a Jake.

— Estava assustada e chocada aquele dia no consultório, quando disse aquela coisa horrível a você — ela tentou se explicar. — Mas nunca poderia imaginar que você...

— Claro que poderia. Porque é verdade. — Ele pareceu mais agressivo, e frio, do que jamais o vira antes. — Será que não consegue perceber por que tentei tanto esconder isso de você?

A dor tomou conta de Sophie por Jake não ter lhe confiado algo tão importante, que se esforçara para ter certeza de que ela não saberia algo tão importante sobre ele. Teve que cruzar os braços para se impedir de chorar.

Mesmo assim, apesar de sua dor, não era verdade que estivera tão envolvida com sua gravidez acidental, na esperança, nos sonhos e no medo de que Jake nunca a amasse do mesmo jeito que ela o amava, que não fora capaz de descobrir o segredo de longa data de Jake?

Agora tudo fazia sentido. O fato de ele não ter nenhum livro em casa, nem revistas, nem jornais. Todos aqueles meses que tinham se encontrado para resolver detalhes do casamento, ele nunca havia escrito uma só palavra. Ele sempre guardava a informação na cabeça, até mesmo as coisas que ela própria esqueceria se não tomasse notas. Aquela vez, quando conversaram sobre seus pubs no café da manhã, quando a conversa tinha tomado o rumo do amor dela pelos livros e tinha lhe perguntado sobre o livro favorito, ele não tinha se afastado dela imediatamente? Sem falar na maneira esquisita como ele reagira quando ela lhe perguntara se queria ler um dos livros durante a Hora da História, a fagulha de terror durante tanto tempo nos olhos dele, que ela quase tinha perguntado se estava tudo bem.

— Amo você — ela sussurrou. — Deveria ter me contado. Deveria ter confiado em mim.

Sophie pensou tê-lo visto piscar diante da palavra *confiar*, mas, então, a expressão dele se anuviou diante dela.

— Durante todo esse tempo, ficou dizendo que me amava, mas você ama só uma porcaria de uma fantasia. Não o homem que eu realmente sou. Dê uma olhada, princesa. Dê uma boa olhada.

Sophie tentou focar o rosto de Jake, desejou poder achar as palavras para dizer que aquilo não era verdade e que o via exatamente pelo que era, o bom e o mau. E que o amava por inteiro. Incondicionalmente.

— Sei quem você realmente é — ela prosseguiu, mal conseguindo erguer a voz acima de um murmúrio.

— É mesmo? Você me conhece mesmo? — Ele cuspia cada palavra sobre ela. — Sabia que meu pai era um bêbado e que o que mais gostava quando estava bêbado era de me bater até me deixar roxo? Sabia que um dia a coisa foi tão ruim que peguei uma faca e o fiz sangrar? Sabia que quando ele bebeu até morrer eu nem liguei, que nunca derramei uma só lágrima por ele?

Ela tentou abrir a boca para explicar que o motivo de não saber nada disso era que, apesar de toda a coragem e de toda a incrível força dele, não tinha se arriscado a compartilhar a vida dele com ela, nem confiado que ela o amasse de qualquer maneira... mas não conseguia fazer o cérebro mandar as mensagens corretas para os lábios.

— Nós dois sabemos que não pode amar um homem como eu. Havia um motivo para eu nunca querer ser pai. Eu não deveria ser pai, não deveria transmitir essa genética podre para duas crianças inocentes. Mas você não podia me deixar em paz, não é? Não podia me deixar amá-la a distância para sempre e mantê-la longe de mim.

Para sempre? Ele tinha acabado de dizer que a tinha amado a distância durante todo esse tempo e que a amaria para sempre?

— Nunca deveria ter tentado convencer você de que eu era digno de me casar com você. Ou que poderia dar conta de ser o pai de duas crianças. Nós dois sabemos que vocês três vão ficar muito melhor sem mim.

Querendo muito confortá-lo, colocar os braços em volta dele e convencê-lo a ficar, Sophie forçou-se a sair da cama enquanto dizia:

— Por favor, não vá embora. Amo você.

Mas, em vez de aquelas palavras de amor fazerem as coisas melhorarem, só deixaram a expressão dele ainda mais sombria.

— Não — ele retrucou em uma voz tão terrivelmente profunda que a fez tremer. — Você não me ama. Você ama somente uma fantasia que não existe. Uma fantasia que *nunca* vai existir.

Ele virou-se de costas para sair do quarto e ir embora, e, de algum modo, Sophie encontrou forças para alcançá-lo. Mas antes que pudesse tocar as costas dele, o chão balançou e a dor espalhou-se por suas entranhas.

Tudo ficou escuro.

CAPÍTULO VINTE E TRÊS

Jake andava de um lado para outro na sala de espera do hospital.

Por favor, Deus. Tome conta da Sophie. Por favor, traga-a de volta para mim, para que possa passar o resto de minha vida recompensando-a pelo que fiz.

Tinha desistido das preces quando ainda era um garotinho, já que elas não tinham colocado fim às suas surras nem enchido sua barriga quando não havia nada para comer. Sua salvação dependera totalmente de si próprio: trabalhar para ter dinheiro para comprar comida; passar o máximo de tempo possível em lugares seguros, como a casa dos Sullivan; construir um negócio multimilionário a partir do zero.

Porém, todo o seu trabalho duro e obstinado e sua teimosia para alcançar o sucesso não poderiam ajudar Sophie agora.

Deveria ter notado o quanto ela estava pálida quando acordara, que não estava se mexendo normalmente, mas estivera ocupado demais, gritando com ela. Ocupado demais fingindo saber de tudo, como sempre fazia.

Uma ligação desesperada para o 911 trouxera os paramédicos até o apartamento dela em minutos, mas não tinha sido rápido o bastante. A bile lhe subia pela garganta só de pensar no sangue entre as coxas dela.

Tinha segurado a mão dela com força no fundo da ambulância enquanto dava aos paramédicos todos os detalhes possíveis sobre a gravidez, sobre o que tinha feito na semana anterior, qualquer coisa que poderia ter levado àquele evento horroroso. Não tinha se poupado, tinha confessado tudo: o sexo frequente e até mesmo os gritos antes de ela ter desmaiado.

Esperava que parte dela soubesse que estava lá, que nunca sairia de seu lado desde que o quisesse ali. E que sentia muito por todas as coisas que tinha feito para magoá-la.

Sophie deveria parecer pequena e frágil sobe a maca; no entanto, mesmo com lágrimas secas sobre o rosto e a pele tão pálida, ainda era fascinante. Nada conseguia lhe tirar a força serena. A beleza dela era mais do que superficial, mais do que o formato de seus olhos, nariz e boca, mais do que as curvas e os contornos de seu corpo.

A beleza de Sophie estava em sua coragem, em sua inteligência, em sua curiosidade sem julgamentos pela vida. E, mais do que tudo, no tamanho de seu coração.

Jake quase perdeu o controle quando as enfermeiras não relaxaram as regras. Ele não era o marido e elas não só o proibiram de ficar com ela como também não davam notícias sobre como ela estava. Mas precisava deixá-las ajudar Sophie.

Essa era a única razão para deixá-la ir.

Assim que ela foi levada na cadeira de rodas, Jake tirou o celular do bolso com as mãos trêmulas e ligou para Zach, para contar que Sophie tinha desmaiado e que talvez tivesse abortado os bebês. Não demorou muito para Zach atravessar as portas do hospital feito um louco, com a mãe e Lori logo atrás dele.

— Ela está bem? — Jake nunca vira Zach tão alterado antes, sem nem um pingo da arrogância de sempre.

— Não sei. Não sou da famí... — A voz dele aquebrantou-se na palavra que só poderia usar se tivesse sido capaz de provar a Sophie que poderia ser um bom esposo e pai, em vez de estragar tudo. — Não me informam nada.

Zach e Mary foram imediatamente falar com a recepcionista, mas Lori ficou com ele.

A gêmea de Sophie esticou o braço para alcançar a mão dele e, antes que pudesse dizer uma só palavra, Jake estava confessando tudo sobre a briga da manhã, o jeito como a dor ficara estampada no rosto dela antes de cair nos braços dele. E, então, aquele sangramento terrível...

Lori apertou a mão dele, forte o bastante para que olhasse para ela.

— Minha irmã é durona, Jake. Muito mais forte do que qualquer um imagina.

Por que Lori não estava acabando com ele?

— Vá ver o que está acontecendo — ele disse a ela com uma voz melancólica, sabendo que não deveria ficar se lamentado.

Mas Lori não saiu de perto dele. Assim como sua irmã gêmea, ela era uma das poucas pessoas que não obedeciam prontamente às ordens expressas dele.

— Sophie sempre amou você. Não importava o que fizesse, do que falasse, nada fazia a menor diferença. Minha irmã nunca mudaria de ideia sobre amar você.

— Ela estava errada. Não sou bom para ela. — Ele queria tanto provar a ela que poderia ser. Ninguém tinha pisado tanto na bola. — Isso é a melhor prova.

— Está aqui, não está?

— Estava *gritando* com ela — ele declarou enquanto algo morno escorria pelo seu rosto. A princípio, não sabia o que era, pois não chorava desde que era criança. Desde aquela última surra quando pegara a faca. — Ela não teria desmaiado se eu...

— Está falando sério? Acha que a Sophie está aqui porque estava gritando com ela? Eu grito com ela o tempo todo.

— Ela merece um cara que possa lhe dar uma vida perfeita. Sem gritos. Sem ficar dando ordens. Sem horário de trabalho maluco. Sem um passado negro.

— Não venha usar essa baboseira de "não ser bom o suficiente" como desculpa para ir embora e deixá-la de mãos abanando. — Lori Sullivan era durona. — Se vai se envolver, envolva-se até o pescoço, Jake.

Dito isso, Lori saiu para saber das novidades que sua mãe e seu irmão tinham recebido da recepcionista, deixando Jake remoendo sobre o que acabara de dizer.

— Isso não é triste? — Duas residentes do hospital, indo em direção à máquina de café, passaram por ele. Jake tinha certeza de que uma delas era a enfermeira que tinha levado Sophie para ser atendida. — Puxa vida, esse trabalho é uma bomba quando as pessoas perdem os bebês desse jeito.

— É verdade. Nunca sei o que dizer.

A jovem mulher balançou a cabeça.

— Não acho que nada que tivéssemos dito poderia tê-la feito sentir-se melhor. Foi tudo tão rápido, e agora ela nunca mais vai poder ter filhos.

―⁂―

Sophie sentiu uma carícia morna sobre o rosto e teria sorrido, se pudesse. *Jake estava ali. Tudo ficaria melhor agora.*

— Amo tanto você. Sinto muito, muito mesmo.

Ela finalmente conseguiu abrir os olhos pesados e viu que o rosto de Jake estava molhado, as lágrimas enroscadas em seus cílios. A dor e o medo nos olhos dele a deixaram sem palavras. Juntamente com a maneira como olhava para ela.

Com amor verdadeiro.

— Queria muito aqueles filhos, sabe o quanto eu os queria. Mas você é tudo. Tudo. Não importa se nunca pudermos ter filhos. Tudo de que preciso é você. Se me aceitar. Se confiar em mim e me deixar confiar em você a partir de agora.

Por fim, a língua dela se destravou.

— Jake?

Sophie tentou sentar-se e colocar os braços ao redor dele, mas, em vez disso, uma fisgada de dor tirou-lhe o fôlego. Jake colocou os braços ao redor dela, segurando-a carinhosamente, como se ela fosse quebrar. A medicação para dor a fazia sentir-se pesada, tonta. No entanto, precisava dizer a ele.

— Ouvi as enfermeiras conversando lá fora. — Cada palavra que ele dizia estava carregada com uma dor profunda. E sentimento de perda. Mesmo assim, continuava a lhe acariciar os cabelos, como se tivesse medo de que ela fosse quebrar a qualquer momento. — Deveria ter estado aqui com você quando lhe contaram sobre o aborto.

Não, meu Deus, ele não poderia achar que...

Sophie sentiu a língua inchada ao dizer:

— Não tive um aborto. Não estavam falando de mim.

A mão que acariciava o cabelo dela ficou parada.

— Sophie? — Ele ficou ereto para poder olhar nos olhos dela. No rosto de Jake, Sophie pôde ver o alívio em conflito com a descrença, como se não quisesse se entregar à esperança novamente, para depois ter uma decepção ainda maior.

— Mas o sangue, eu vi o sangue.

Ela empurrou o lençol e pegou-lhe as mãos, colocando-as sobre a barriga dela. As pálpebras estavam pesadas feito chumbo, mas ela precisava explicar.

— Tem um mioma no meu útero. — Ela esperou que suas palavras estivessem fazendo sentido. — Cresceu muito rápido. Foi por isso que a Marnie não viu antes, quando estava concentrada em encontrar os batimentos cardíacos. Eles vão me operar para tirá-lo.

Jake olhou para as mãos dadas deles, sobre a barriga dela.

— Então, você... eles...

— Sim.

— Com licença, senhor, não pode ficar aqui. Preciso terminar de preparar a Srta. Sullivan para a cirurgia agora mesmo.

Ela conhecia muito bem aquele olhar feroz que Jake deu à enfermeira e adorava saber que ele estava disposto a lutar qualquer batalha por ela. Pelos filhos deles. Ele seria o pai mais maravilhoso e o marido mais carinhoso do mundo.

Enquanto discutia com a enfermeira, dizendo que poderia conversar com a mãe de Sophie, na sala de espera, caso precisassem de provas para que ele pudesse ficar ao lado dela, que ela precisava dele, ela segurava nas mãos dele... e sabia que, por fim, tudo daria certo.

CAPÍTULO VINTE E QUATRO

Nas 24 horas após Sophie ter saído da cirurgia, o clã Sullivan inteiro invadiu o hospital. Ela nunca se sentira tão sufocada pela preocupação deles... ou tão amada. Durante todo o tempo, Jake ficou ao lado da cama, segurando as mãos dela, a força dele alimentando-a enquanto enfrentavam as reações de seus irmãos ao verem a irmãzinha com o homem que pensaram nunca ser capaz de amar.

Ela se perguntava, pela milésima vez, como não sabiam que Jake era capaz de amar com todo o seu coração, com cada pedacinho de sua alma?

Precisando desesperadamente de um momento a sós com Jake para finalmente lhe dizer tudo o que estava guardado no coração, assim que a porta se fechou atrás de Gabe, Megan e Summer, ela começou:

— Jake, há tanta coisa para conv...

Smith entrou pela porta antes mesmo de ela conseguir terminar a frase. Ela sabia que ele tinha abandonado sua filmagem na Austrália assim que a mãe ligara. Os braços dele envolveram-na e ele a abraçou por um longo tempo, mais do que qualquer um.

Tantas vezes Smith tinha sido como um pai para ela, e, depois de ter se controlado para manter-se forte com seus outros irmãos, Sophie não conseguiu segurar os soluços quando seu irmão favorito a abraçou. Tinha passado tantos anos esperando e sonhando com uma vida com Jake. Ainda era difícil de acreditar que tudo o que já quisera era finalmente dela.

Smith segurou-a até as lágrimas secarem.

— Vamos tomar conta de você e dos bebês. Não precisa se casar com ele, Sophie.

Smith falou como se Jake não estivesse no quarto, como se ela não estivesse segurando a mão dele. Ela limpou as lágrimas antes de alcançar a mão de Smith com sua mão livre, querendo fazê-lo entender como realmente se sentia.

— Eu amo o Jake.

Smith finalmente reconheceu a presença de seu amigo de longa data com um olhar furioso que teria feito qualquer outra pessoa no ambiente querer se esconder.

— Estava chorando como se seu coração estivesse partindo ao meio. Não precisa fingir para mim, Soph.

Ela podia sentir Jake tremendo com a necessidade de sair em sua defesa, com seu desejo instintivo de posse. Mas também sabia que ele a amava o suficiente para deixá-la lidar com a situação por conta própria, enquanto ele ficava na retaguarda.

— Não estou fingindo. Estou feliz, incrivelmente feliz por meu irmão ter vindo de tão longe para me ver. E para me dar sua bênção. — Sophie apertou a mão do irmão. — Fique feliz por mim, Smith. — Ela olhou para Jake e de volta para Smith. — Fique feliz por nós dois.

Smith olhou dura e longamente para Jake, nenhum dos dois dando o braço a torcer. Ao final, Smith voltou-se para ela novamente.

— Se é isso que realmente quer, vou tentar ficar feliz por você.

A voz de Jake soou como um aviso ao irmão dela.

— Ela é minha, Smith. E ninguém faz mal ao que é meu.

Sabendo que o homem que amava tentara o máximo possível deixá-la lutar essa batalha por conta própria, e que não mudaria nada nele, mesmo se pudesse, Sophie disse ao irmão:

— O Jake está certo. Sou dele. Sempre fui e sempre vou ser dele. Eu o quero muito. — Passou os olhos pela sua barriga. — Quero os bebês que fizemos juntos. — E, sabendo que chegara a hora de finalmente dizer o que tinha mantido escondido de sua família por muito tempo, ela continuou: — E quero que vocês todos da nossa família aceitem que sou mais do que a irmãzinha *boazinha* que não sabe cuidar de si mesma.

O silêncio entre eles estendeu-se por um bom tempo, até Smith fazer um comentário:

— Sempre achei que seu apelido era um engano.

Sophie soltou uma gargalhada:

— E nem venham com apelidos para os meus filhos.

Smith suspirou fundo:

— Gêmeos, hein? — Ele parecia tão encantado e tão orgulhoso que o coração dela transbordou de amor. — Você vai ser uma mãe maravilhosa, Soph.

Quando ele se inclinou para beijar o rosto da irmã, ela sussurrou:

— Tive muitos professores, especialmente você.

E então, do nada, Smith ofereceu a mão a Jake.

— Bem-vindo à família.

Mary Sullivan entrou no momento em que Jake respondia:

— Obrigado, Smith. Não imagina o quanto isso significa para mim.

Sorrindo para todos, apesar de estar claramente emocionada, a mãe de Sophie declarou:

— Estou tão feliz que vocês dois finalmente entenderam que foram feitos um para o outro.

Sophie engasgou, surpresa.

— Espere aí, quer dizer que sempre soube que o Jake e eu acabaríamos... apaixonados?

— Desde o primeiro dia, querida. Assim como aconteceu com o Jake, não é?

Sophie podia ver o quanto a aprovação de sua mãe significava para Jake, quando apertou a mão direita dela com força.

— Foi tudo o que sempre desejei na vida, Sra. Sullivan.

Mary sorriu para o homem que conquistara o coração de sua filha amada.

— Para falar a verdade, Jake, preferiria que me chamasse de *mãe*.

Finalmente, a mãe e o irmão de Sophie foram embora, com a promessa de voltarem logo cedo com as coisas preferidas dela. A porta não tinha nem fechado direito, mas ela não conseguia esperar nem mais um minuto para virar-se para Jake e perguntar:

— Você realmente disse a verdade? Que me amou a distância durante todo esse tempo?

— Só tenho olhos pra você, Sophie. Mas nunca achei que eu merecesse.

— Será que não consegue ver o quanto é maravilhoso? — ela disse suavemente. — Eu sempre percebi. Sinto muito por não ter enxergado mais, por não ter apoiado você quando mais precisou de mim.

— Não tinha como ver nada, princesa. Não quando passei 20 anos aperfeiçoando minha capacidade de esconder meus problemas de leitura de todo mundo. Especialmente de você.

Ela observou quando o medo tomou conta dos olhos dele; ao mesmo tempo em que não queria que ele nunca mais tivesse medo, significava muito saber que ele não estava mais escondendo suas verdadeiras emoções.

— E se eu for um pai horrível, como o meu pai foi? E se nem todo o esforço do mundo conseguir mudar isso? E se nossos filhos tiverem o mesmo problema que eu tenho?

— Sei que está nervoso por ser pai, mas eu também estou assustada. Não tinha planos de me tornar mãe, por ora, nem de ter dois bebês de uma vez só. Tudo o que podemos fazer é atravessar os altos e baixos e tentar resolver as coisas juntos. — Ela olhou fixamente dentro dos olhos negros dele, sabendo que já tinha passado da hora de dizer: — Diga de novo, Jake.

— Sophie?

— Diga.

Ele colocou um joelho no chão, ao lado da cama dela.

— Sophie Sullivan, amo você. Sempre amei. Sempre vou amar. Para sempre.

Ela nem se deu ao trabalho de impedir que as lágrimas escorressem.

— Amo você, Jake McCann. Sempre. — Ela sentiu o milagre, a magia de conhecer o verdadeiro amor que havia esperado por eles durante tanto tempo. — *Para sempre.*

Os lábios dele capturaram os dela em um beijo tão carinhoso que fez seu coração disparar.

Ele enfiou a mão no bolso e tirou uma caixinha azul, a qual carregara durante todo esse tempo, caso ela estivesse pronta para concordar com seu pedido de casamento.

— Case-se comigo, princesa.

O pedido de casamento foi mais uma ordem do que uma pergunta, mas Sophie não mudaria nada nele. Ela amava cada parte mandona, carinhosa, reconfortante, superprotetora e amorosa da alma de Jake. Sophie nunca se sentira uma forasteira em sua própria família, mas também nunca sentira que se encaixava totalmente.

O amor de Jake a completava.

Ele abriu a caixinha para mostrar-lhe o anel e Sophie quase perdeu o que ainda lhe restava do fôlego.

— Ah, Jake. — A pedra central era uma gema amarela linda e brilhante, rodeada por uma fileira de diamantes.

Olhando nos olhos dele, ela sorriu enquanto as lágrimas escorriam pelo rosto. Ela nunca poderia mudar o passado dele, mas, com o apoio e o amor infinito dela, Sophie esperava que um dia ele finalmente deixasse tudo para trás, onde deveria ficar.

Ela teve que beijá-lo, segurá-lo e responder à pergunta; o SIM que ansiara dizer a vida toda ao único homem de sua vida, enroscada no aconchego dos braços dele.

Dois meses depois...

Sophie sorria, cantarolando uma das canções de Nicole que tocava no rádio enquanto dirigia da biblioteca até a casa de Jake. Apesar de sempre ter sido perfeitamente feliz utilizando o transporte público, especialmente na cidade, onde poderia facilmente ir de um lugar a outro, Jake insistira em comprar um carro para ela. A vida com Jake era muito melhor do que jamais imaginara; no entanto, dado que ele continuava a ser o homem dominante por quem ela se apaixonara há tanto tempo, Sophie rapidamente aprendera a escolher suas brigas. Não valia a pena brigar por causa de um carro.

Ela se recuperou bem da cirurgia para retirar o mioma, mas, ainda que Jake estivesse sendo amoroso e absolutamente encantador durante os últimos dois meses, sentia falta do lado selvagem dele. Claro que tinham feito amor, e fora maravilhoso, mas ela podia sentir que ele estava se controlando por medo de, de alguma forma, machucá-la ou machucar os bebês.

Ela virou um pouco o espelho retrovisor para olhar-se no espelho pela última vez antes de descer do carro. Durante seu horário de almoço, sentira-se inspirada e saíra para comprar um vestido rosa de manga longa e tecido macio. Tinha certeza de que, em duas semanas, não conseguiria vesti-lo, mas adorava o jeito como o tecido macio roçava e deslizava sobre sua pele. Fazia lembrá-la da maneira como Jake a tocava, tão delicado, tão carinhoso... e tão pervertido.

Já seduzira Jake McCann uma vez e estava muito empolgada ao pensar em seduzir o noivo novamente. Especialmente depois de ele ter lhe mostrado sua nova tatuagem na noite anterior, um nó celta que simbolizava o caminho eterno da vida, da fé... e do amor. Ele pedira ao artista que entreleçasse o nome dela ao desenho, feito bem em cima de seu coração.

Respirando fundo, ela tocou a campainha em vez de usar sua chave.

Jake abriu a porta alguns segundos depois, com uma expressão desnorteada, mas, ao mesmo tempo, cheia de luxúria.

— Sophie?

Ela nunca esquecera aquela noite em Napa, quando tinha ficado parada na frente de outros degraus e implorado para entrar.

— Sei que acha que precisa ter cuidado comigo, mas a médica disse que estou completamente recuperada agora. — A voz dela ficava cada vez mais rouca. — Preciso de você, Jake. Muito.

Ele puxou-a para dentro e Sophie foi imediatamente envolvida pelo delicioso calor dele; no entanto, apesar de ele visivelmente desejá-la tanto quanto ela, Sophie podia dizer, pela dureza dos lábios, e pelo fato de estar mantendo um pouco de distância entre seus corpos, que seria difícil convencê-lo.

Bem, teria que comprar essa briga. E ele não tinha a menor possibilidade de vencer.

— Pare de negar, Jake — ela disse em uma voz sedutora. — Precisa disso tanto quanto eu.

Ele não argumentou com ela, simplesmente declarou:

— Vou fazer você gozar, princesa, uma vez atrás da outra, tantas vezes quantas precisar. — E parecia que estava prestes a explodir de vontade de fazer exatamente isso. — Mas não posso ser muito selvagem. Não se for machucar você de novo.

— Sei muito bem o que está tentando fazer — ela continuou num tom de voz macio. — Está tentando tomar as decisões por nós dois de novo. Mas não vai funcionar.

O fogo tomou conta dos olhos dele, juntamente com o sentimento que não tentava mais esconder dela. Sophie continuou:

— Quero você exatamente do jeito que está. Áspero nas arestas. Mandão. Cheio de energia. — Ela lambeu os lábios. — E estou disposta a fazer *qualquer coisa* para lhe provar isso.

Ela esforçou-se para controlar a risada que ameaçava escapar diante do quanto Jake estava adorável tentando evitar o inevitável.

— Vai fazer qualquer coisa para provar isso para mim? — A expressão dele finalmente mudou e ele se mostrou o amante pervertido de quem ela sentira falta ultimamente.

— *Qualquer coisa* — ela repetiu enquanto alcançava os botões da frente do vestido e começava a desabotoá-los. Os olhos de Jake expressavam esperança, desejo e tanto amor que ela quase perdeu o fôlego ao abrir por completo a parte da frente do vestido.

Ela adorava o jeito como seu nome saía feito uma súplica dos lábios dele, adorava o jeito como comia com os olhos seus seios, agora maiores do que o normal, e a protuberância de sua barriga. Sophie puxou o vestido de cima dos ombros e deixou-o cair no chão.

— Sou toda sua, Jake.

Sophie era tudo para Jake. Apesar de todas as maneiras como ansiara possuí-la nos últimos dois meses, sabia que devagar, sem pressa e com suavidade era do que ela precisava enquanto se recuperava da cirurgia. Eles tinham *para sempre* para fazer tudo o que ele queria fazer com ela.

Nessa noite, entretanto, podia ver que ela precisava, e estava finalmente pronta, para mais.

Graças a Deus.

O ar já estava pesado pelo desejo e pela promessa do prazer indescritível. Jake adorava a sensação do corpo dela sobre o seu enquanto a puxava para dentro de seus braços. A maciez da pele, a maravilhosa protuberância dos seios contra seu peito, sua barriga arredondada pressionando-lhe os quadris. Ela era o encaixe perfeito para ele de todas as maneiras, a única mulher com quem ousara ser completamente honesto e aberto.

A única que queria em sua cama de novo.

Encaixou-a em seus braços, e Sophie colocou os braços em volta do pescoço dele, rindo enquanto ele a carregava para o quarto.

— Vai ter que começar a treinar levantamento de peso logo, logo se quiser continuar fazendo isso.

Ele beijou-lhe a barriga quando a colocou sobre a cama, quase tropeçando na pilha de livros infantis coloridos sobre a mesinha de cabeceira. Sophie e Jake tinham um encontro marcado na livraria uma vez por semana para selecionar os livros para seus filhos. Ele mal podia acreditar nisso, mas realmente gostava de ler quando Sophie estava em seus braços, e mal podia esperar para seus filhos estarem ali também. O fato de sua garotinha *e* seu garotinho estarem crescendo dentro de Sophie ainda o deixava estupefato.

Jake arrancou as roupas em tempo recorde, então dirigiu-se até os braços esticados dela. Ela lhe ofereceu os lábios e tinha um sabor tão doce que ele teve que tomar, tomar e tomar, ainda que não tivesse planejado nada além de dar. Ele encaixou uma das mãos no seio dela e pegou o quadril com a outra mão. Deus, como adorava encher as mãos com ela; podia passar horas roçando a ponta dos dedos em cada milímetro de sua pele. Melhor ainda era a maneira como ela lhe implorava para fazer muito mais do que tocá-la.

O dedão lhe acariciou o seio e quando Sophie pediu: — *Jake, por favor*, contra seus lábios, estava perto demais de perder o controle para fazê-la implorar ainda mais.

Toda vez que faziam amor, Jake agradecia silenciosamente pela maneira como ela lhe entregava não só o corpo, como também o coração. Mais tarde, usou as mãos e a boca para, aos poucos, fazê-la chegar ao clímax, vez após outra. Ele finalmente acreditava em para sempre.

Mas precisava dela *agora*.

Colocando o rosto dela entre as mãos, Jake apertou-lhe a boca embaixo da dele enquanto seus corpos se tornavam um só. Seus braços e pernas entrelaçavam-se apertados, à medida que se mexiam no ritmo perfeito de sempre, até ele engolir a arfada de prazer dela em um beijo avassalador, quando gozou com ela.

Jake tinha certeza de que nada poderia ser mais fantástico do que deitar-se com Sophie depois de terem feito amor, com ela acomodada no vão de seu ombro, a mão dela sobre o coração dele, a mão dele sobre a barriga dela. Então, sentiu uma onda movimentado-se sob a palma da mão.

— Sentiu isso? Eles chutaram pela primeira vez?

O sorriso de Sophie era tão radiante e tão cheio de amor que, toda vez, deixava-o maravilhado.

— Sim — ela concordou enquanto levantava o rosto para beijá-lo. — Eles acabaram de chutar.

EPÍLOGO

Zach Sullivan puxava a gravata com força. Que porcaria! Odiava usar gravatas, mas achara que pudesse fazer esse sacrifício durante uma tarde, considerando que não era todo dia que uma de suas irmãs caçulas se casava.

O ano que passara tinha se transformado em uma profusão infinita de casamentos e bebês Sullivan. Primeiro, Chase tinha se casado e tivera um filho a caminho em questão de semanas; depois Sophie, do nada, aparecera com a mesma notícia. Até Gabe e Megan tinham ficado noivos. Só Marcus e Nicole ainda estavam levemente sãos, mas Zach não ficaria surpreso se Nicole aparecesse usando um enorme anel de diamante qualquer dia desses.

Imaginou que Sophie fosse querer um casamento grande, um evento cheio de ostentação, digno dos Sullivan, ao qual todo parente ou amigo sobre a face da Terra seria convidado. Em vez disso, aqui estavam eles no quintal da casa de sua mãe, como em tantos outros domingos. A única diferença de outros *brunchs* em domingos comuns era o vestido longo e branco de sua irmã e o smoking de Jake.

Quando Sophie havia crescido?, Zach se perguntou. E quanto tempo levaria para vê-la como uma mulher, e não como a irmãzinha a quem precisava proteger com a própria vida?

Aos cinco meses de gravidez, Sophie estava mais linda do que nunca, especialmente em seu vestido de noiva. Era visível o quanto ela estava feliz, mas Zach ainda achava difícil imaginar Jake com Sophie. Mesmo que a noiva e o noivo parecessem o casal mais destoante do planeta — o cara grandão com tatuagens e a morena cheia de classe —, Zach começava a perceber que Sophie era um páreo à altura de Jake. Na verdade, melhor.

— Quer fazer uma aposta sobre quem vai ser o último a "jogar a toalha"? — Lori perguntou enquanto passava uma cerveja a ele. — Eu ou você?

Zach se dava bem com as duas irmãs, mas sempre entendera Lori melhor. Ela adorava velocidade. Aventura. Quebrar as regras. Assim como ele.

— Está preparada para perder dinheiro, Mazinha?

Ela olhou para ele por sobre a armação dos óculos enquanto tomava um gole do melhor espumante da safra de Marcus.

— Será que ainda não aprendeu que são sempre os caras mais arrogantes, que pensam ser intocáveis, que levam o maior tombo?

Zach raramente resistia a um desafio, principalmente quando era tão fácil ganhar. Sabendo que não tinha a menor chance de se apaixonar contra a própria vontade, Zach Sullivan levantou a garrafa de cerveja e tocou-a na taça de champanhe da irmã para fazer um brinde.

— Estou dentro.